JN115349

宇都宮市創造都市研究センター ［編］

産学官民連携による
創造都市への挑戦

随想舎

はじめに―文化の香る宇都宮市の創造都市実現に向けて

　「宇都宮市創造都市研究センター」は，宇都宮市内に所在する市内の5大学（参加大学：宇都宮共和大学，作新学院大学，文星芸術大学，帝京大学宇都宮キャンパス，協力校：宇都宮大学）と自治体・産業界等が連携し，「創造都市」の考え方に基づいた文化の香る宇都宮都市圏の発展を目指し，2017年10月に設立されたプラットフォームである。本事業は，文部科学省「私立大学等改革総合支援事業」タイプ3（プラットフォーム形成）に選定され，現在に至っている。

　『産学官民連携による創造都市への挑戦』と題した本書では，当センターの役割や当センターに参画する産官学民の各団体による創造都市化に向けた取り組みについて紹介するとともに，本事業の中核的な取り組みとなっている参加大学である4大学の学生による連携ゼミの活動とその成果を報告する。これらの取り組みや成果を通して，創造都市宇都宮都市圏が目指す将来像を描き，またプラットフォーム形成による都市活性化の手法とその意義についても言及する。

　まず，序章では，「創造都市化に向けた大学の役割」と題し，教育・研究機関としての大学の創造都市化に向けた役割についてその意義を述べる。

　次に，第1章では，「宇都宮市創造都市研究センターの役割」と題し，当センターの設立の背景や目的，事業概要について紹介する。続いて，当センターの運営の中核を担っている参加4大学の地域連携事業について大学ごとに具体的に紹介する。

　第2章では，「連携組織による創造都市化への取り組み」と題し，本センターに参画している行政，民間事業者の具体的な取り組みやその意義について述べる。まず，第1節と第2節では，創造都市実現に向けて，創造都市化には文化芸術振興の観点が重要であることに注目し，芸術性，創造性の高い映画やデザインの事業を宇都宮市内で展開している分野からの取り組みを紹介する。次に，創造都市化には創造性に富む新規事業の起業が求められており，特に，若者や女性が有するユニークな視点は，創造都市化には不可欠と言える。この観点から，第3節，第4節では，宇都宮市内で若者や女性の起

促進に取り組んでいる分野からの具体的な取り組み例を紹介する。さらに，創造都市化には大学や事業者のみならず，地域の行政やまちづくりを推進する組織や団体の役割も重要となる。この観点から，宇都宮市役所による地域での起業支援や大学との連携事業について第5節で紹介し，さらに，宇都宮市におけるまちづくり組織であるNPO法人宇都宮まちづくり推進機構の取り組みについて第6節で取り上げている。第7節，第8節では，宇都宮市内に拠点を置く民間事業者としてトヨタウッドユーホーム株式会社と，民間事業者を支援する宇都宮商工会議所の創造都市化に向けた取り組みについて紹介する。

第3章では，「創造都市研究活動」と題し，本センターの地域貢献活動状況を報告する。この中では，産学官民からなる「地域活性化研究プロジェクト班」について活動履歴を紹介する。専門分野の異なる4大学の学生ならでは柔軟で未来志向型の発想や，地域の関係諸団体との意見交換をふまえたユニークで具体的な宇都宮都市圏への提言を通して多くの実績を上げており，その内容を紹介する。

第4章では，「創造都市宇都宮都市圏が目指す将来像」と題し，今までに述べてきた本センターの成果をもとに，大学，人材育成，芸術，都市活性化の各観点から今後の宇都宮都市圏のあり方について考察し，本センターが目指す宇都宮都市圏が目指す将来像についてまとめて述べる。最後に，本書の総括として，締めくくりとなる「おわりに」で，当センターの将来展望について言及し，稿を締めることとする。

最後に，本書の刊行にあたり，出版元である随想舎をはじめ，特に編集を担当した当センター事務局の皆様には大変お世話になりました。また，ご多用中，当センターの構成員としてご支援を賜っている多くの産業界の方々，宇都宮市役所，宇都宮商工会議所，まちづくりの組織団体の方々，参加大学の運営委員各位には原稿執筆に大変なご協力を賜りました。ともに深く感謝申し上げます。

本書を通じて，わが国における地方の創造都市化に向けた地域活性化活動や地方私立大学の役割について，読者の皆様のご参考になれば幸いです。

（須賀英之）

産学官民連携による創造都市への挑戦 目次

はじめに―文化の香る宇都宮市の創造都市実現に向けて 　　　　　　　　*2*

序章　創造都市化に向けた大学の役割 　　　　　　　　　　　　　　*5*

第1章　宇都宮市創造都市研究センターの役割 　　　　　　　　　　*9*
　第1節　宇都宮市創造都市研究センター設立の目的と概要 　　　　　　*10*
　第2節　宇都宮共和大学の地域連携事業 　　　　　　　　　　　　　　*15*
　第3節　作新学院大学の地域連携事業 　　　　　　　　　　　　　　　*26*
　第4節　帝京大学宇都宮キャンパスの地域連携事業 　　　　　　　　　*41*
　第5節　文星芸術大学の地域連携事業 　　　　　　　　　　　　　　　*46*

第2章　連携組織による創造都市化への取り組み 　　　　　　　　　*53*
　第1節　映画と創造都市について 　　　　　　　　　　　　　　　　　*54*
　第2節　デザインと創造都市について 　　　　　　　　　　　　　　　*66*
　第3節　若者の起業 　　　　　　　　　　　　　　　　　　　　　　　*72*
　第4節　女性の活躍と起業 　　　　　　　　　　　　　　　　　　　　*82*
　第5節　宇都宮市の取り組み 　　　　　　　　　　　　　　　　　　　*86*
　第6節　宇都宮まちづくり推進機構の取り組み 　　　　　　　　　　　*96*
　第7節　トヨタウッドユーホーム株式会社の取り組み 　　　　　　　　*105*
　第8節　宇都宮商工会議所の取り組み 　　　　　　　　　　　　　　　*115*

第3章　創造都市研究活動 　　　　　　　　　　　　　　　　　　　*123*
　第1節　創造都市研究の現状 　　　　　　　　　　　　　　　　　　　*124*
　第2節　地域活性化研究プロジェクト班の活動 　　　　　　　　　　　*134*

第4章　創造都市宇都宮都市圏が目指す将来像 　　　　　　　　　　*145*
　第1節　地方私立大学における地域社会貢献のあり方と課題 　　　　　*146*
　第2節　創造都市実現に向けて生涯活躍する人創り 　　　　　　　　　*158*
　第3節　芸術が引き出す創造都市への挑戦 　　　　　　　　　　　　　*173*
　第4節　地域企業との連携による宇宙産業振興に関する取り組み 　　　*183*

おわりに
　―創造都市実現に向けた
　　　　創造都市研究センターの活動実績と将来展望 　　　　　　　　*187*

＊本書は本文中に明記のない限り，2022年3月時点の情報を掲載しております。

序章

創造都市化に向けた大学の役割

わが国では，都市特性，人口規模，地域課題等を踏まえ，各地方には，自然資源，文化資源等多様な地域資源が数多くある。これらの地域資源を活かした総合性・多様性ある内発的な「地域づくり」を推進し，持続可能な地域を創造していくことが，創造都市を目指す一つとして，また，現代における様々な課題の解決を先導すると言われている。

　現に，地方においては，人口減少問題等からの回避を図るとともに，それぞれの「地域づくり」を図るため，地域資源の発掘や発信力（シティプロモーション）などの取り組みを行っており，いわば，「自治体間の知恵比べ」の時代となっている。この「地域づくり」を図るための中心的役割は，「ひと」であり，この「ひと」を育てるのは，「地（知）の拠点」としての大学がその使命を担っている。創造都市化を実現するには，この人，の育成が重要であることとなる。

1　宇都宮市の創造都市化

　創造都市は，札幌市，横浜市，金沢市，京都市，神戸市等に代表され，芸術・文化が，創造的な産業の創出という産業的な側面だけではなく，教育・医療・福祉等といった様々な分野と領域横断的に結びついて，行政施策を展開する都市を形成している。これらの都市は，歴史的にも芸術文化と産業経済との創造性に富んだ都市であるといえる。

　宇都宮市は，北関東の主要都市ではあるが，コンテンツ産業やファッション・デザイン等の分野に強いとは言えない。また，文化振興事業も，経済団体，地域・教育機関等との連携にまでは発展していない現況を総合的に考えると，宇都宮都市圏は創造都市とは言えないのが現状である。今後，宇都宮市が，人口50万人を超える中核都市として今後も継続的に繁栄していくためには，市民が誇りを持ち，市民により育て・繁栄に導いてくれる都市となることが必要である。他の都市を模倣するだけでは「まち」は元気になれない。京都から江戸に都が遷されるまでは，「関東の都」といわれた宇都宮市には，二荒山神社に代表されるように優れた歴史・文化がある。また現代ではジャズや大谷石等の独自色のある文化もあり，「文化の香る」創造都市化へのポテンシャルは十分あるといえよう。

例えば，宇都宮市の玄関口であるJR宇都宮駅の西口から中心街の二荒山神社までの約2kmの間を，宇都宮市の特産である大谷石を使った「文化のかおるまち」とすることで，他の創造都市に負けないデザイン性を持った創造都市化が図れるのではないかとも考える。

2　自治体・住民の役割

　創造都市の原点となる「地域づくり」に当たっては，大学のみではなく，住民や地元自治体の役割も重要となってくる。特に，自治体としては，大学・企業等と幅広く，積極的に情報交換を行い，産学官連携による地方創生推進戦略を企画し，自治体の長の強いリーダーシップをもって，「地域づくり」に取り組んで行くことが求められる。また，地域住民には，主体性をもって，地域資源の持続的利用を推進する「地域づくり」を実践していくことが求められ，①地域資源・課題等の把握，②実行に向けたリーダーの発掘と体制づくり，③目標の合意形成等への取り組みが求められると考えられる。

3　大学の役割

　大学は，本来の役割として，①地方を担う人材を育成する，②地域と連携できる若者世代の拠点，③地域の内外からの様々な人々の交流拠点，④地域課題の解決に関する教育・研究による助言等が行えるなど，地方にとって多面的機能を求められる存在となっている。

　宇都宮市に所在するセンターの参加私立4大学と協力大学である宇都宮大学，および宇都宮市・産業界等で形成する「宇都宮市創造都市研究センター」は，幸い，形成する各大学が，教育，福祉，人文・科学，経済・経営，理工，芸術文化等多分野に及んでおり，それぞれ特色を活かしながら宇都宮市の創造都市化に向けた研究に取り組んでいる。センターを通して効果的な連携のもと，地域から求められる優れた人材の育成に努めていくことが大学には強く求められている。この意味でも，宇都宮市創造都市研究センターが創設された意義は極めて大きいといえる。

（上野憲示）

第1章 宇都宮市創造都市研究センターの役割

　宇都宮市創造都市研究センターは，宇都宮市内の5大学（参加大学：宇都宮共和大学，作新学院大学，文星芸術大学，帝京大学宇都宮キャンパス，協力校：宇都宮大学）と宇都宮市役所，宇都宮商工会議所，まちづくりの組織団体等と市内の産業界が連携し，「創造都市」の考え方に基づいた文化の香る宇都宮都市圏の発展を目指して活動している。本章では，まずセンター設立の狙いについて述べる。さらに，センター活動に参加している4大学の概要と現在取り組んでいる地域連携事業について紹介する。

第1節　宇都宮市創造都市研究センター設立の目的と概要

1.1　地方創生・地域発展および高等教育の質の向上

　わが国では近い将来，シニアの増大，少子化などが確実視されており，国の大きな問題となっている。特に地方都市では，人口減等は地方創生・地域発展に重要な影響を及ぼすことが喫緊の社会的課題なっており，その対策が注目されている。こうした環境にあって，現在，人材育成を担う地方の高等教育機関としての大学には，地域にとって存在感のある大学・「地（知）の拠点」としての質的な充実を図っていくことが必須の状況となっている。

　こうした状況に鑑み，地域の活性化をもたらし，魅力ある「まちづくり」を図るため，特に，地方にある大学としては，大学間の連携はもとより，地方自治体・企業等地域社会との連携を深めながら様々な活動に取り組んで行くことが求められている。さらに，大学は教育研究に当たり，高等教育の質の向上を図るとともに，地域における課題解決を図る必要が求められており，このための様々な機関との共同研究の推進，および教育・文化の向上や発展を目指し，地域に必要な人材の育成等に努めることが必要となってきている。

1.2　大学間及び宇都宮市・経済界等との連携

　地方創生・地域発展および高等教育の質の向上を目指して，栃木県では，既に，2005年4月に県内19の高等教育機関が連携し，「大学コンソーシアムとちぎ」を立ち上げ，大学等が持つ多様な知的資源を有効に活用しながら，地域の活性化につなげる各種の事業を行っている。今後さらに一層，機動力をもって効果的な成果を目指すため，2017年10月，宇都宮市内の5大学（参加大学：私立4大学，協力校：国立宇都宮大学）・宇都宮市・経済界等で形成するプラットホーム「宇都宮市創造都市研究センター」を立ち上げ，地方創生，地域発展および高等教育の質の向上を目指すとともに，現在の社会情勢の変化に対応することとした。なお，18歳人口減少や東京一極集中等，近年の大学を巡る厳しい情勢から，大学の在り方についても検討すること

避けて通れない状況下にある現在，本センターの発足は将来の大学の在り方等を検討する新たな契機になるものと考えている。なお，このプラットホーム「宇都宮市創造都市研究センター」を形成する大学の学術分野が，教育，芸術文化，福祉，経済・経営，農学，理工学，医療技術等と多分野に及んでおり，こうした各大学の持つ教育資源を活かしながら，宇都宮市の活性化，高等教育の質の向上等に取り組むための環境は整っていると考えている。

1.3　宇都宮市の「創造都市化」

　本センターは，人口50万人を超える中核都市・宇都宮に設立し，近隣には世界的に著名な文化遺産である日光東照宮があり，そして宇都宮市内には，創造都市を目指すうえでの重要な芸術文化を志向する美術系の大学や専門学校を擁し，創造都市としてのポテンシャルを十分に有している。ただ，このような恵まれた状況にあるものの，創造都市の定義である「芸術・文化が，創造的な産業の創出という産業的な側面だけではなく，教育，医療，福祉等といった様々な分野と領域横断的に結びついて，あらゆる人々のエンパワーメントやコミュニティに貢献している都市」という概念から考えると，残念ながら創造都市とはいえないのが現状といえる。

1.3.1　宇都宮市の創造都市としての現状

　宇都宮市の創造都市としての現状分析を，丹羽孝仁（元宇都宮市市政研究センター専門研究嘱託員，現・帝京大学経済学部地域経済学科〈宇都宮キャンパス〉准教授）氏が2017年に実施している。[(1)] その結果は以下のとおりとなっている。

①クリエイティブ産業の従業者数（平成26年経済センサスによる）について，産業分別に特化係数（域内のある産業の比率を全国の同産業の比率と比較したもの）を求めて，全国50万人以上の都市と比較したところ，特化係数が1を上回る分野は，広告と建築，アンティークのみで，コンテンツ産業や工芸，ファッション・デザインなどの分野に弱みを持つ。

②創造都市の取り組みは数値で測ることのできないものが多い。例えば，宇都宮市では文化庁の「文化遺産を活かした地域活性化事業」補助金を

活用した文化プログラムを行っていたり，宇都宮エスペール文化振興事業（芸術の創造活動に関し，特に顕著で，今後の活躍が期待できる芸術家に対して「宇都宮エスペール賞」を授与し，育成，支援をとおして本市の芸術文化の振興を図る事業）を行っていたりする。しかし，宇都宮エスペール文化振興事業は宇都宮美術館との連携はあるものの，経済団体や地域，または教育機関との連携までは発展をしていない。
③建築，デザイン，IT，文化活動に焦点を絞って現在までの活発な活動主体を考察すると，活動の背景にアクティブな変革や市民とのコミュニケーションといった共通のキーワードを見いだすことができる。しかし，この活動をもって宇都宮市が創造都市であると標榜できるほど創造性の蓄積は厚くない。

1.3.2　宇都宮市が創造都市として必要なこと

　創造都市として，必要不可欠なことは「多様性」であり，都市が多様な姿をもち，自律的・内発的なものとなる可能性を有することと言われており，これはまさに「地方創生」や「地域主体のまちづくり」に沿う概念でもあると考えられる。また，日本においては，文化庁の支援のもと創造都市ネットワーク（CCNJ）を展開し，2020年を目途に加盟自治体・団体を約170にする取り組みを行っている。2020年4月現在，栃木県における加盟自治体・団体は，足利市と宇都宮市創造都市研究センターの2団体のみとなっている。このことから，宇都宮市でも，札幌市，横浜市，金沢市，京都市のような創造都市に一歩でも近づける機運を，宇都宮市の創造都市形成を契機に醸成していくことが今後求められていると言える。

　以上に述べたことをまとめると，宇都宮市は未だ創造都市とはいえない状況にある。したがって，だからこそ，創造都市へ向けた仕掛けが必要であり，宇都宮市に所在する高等教育機関としては，創造性の蓄積が宇都宮の未来を創るということを理想像と捉え，率先して創造都市化に向けた研究に取り組む必要があると考えている。

1.4 宇都宮市創造都市研究センターの目的

宇都宮市創造都市研究センターとしての目的は以下のとおり定めた。

① 「創造都市宇都宮都市圏の形成」と「地域を更に振興できる創造的で高度な人材の育成」を図り，地域振興に貢献する。

② 「文化のかおるまちづくり」の実現を目指し，市民協働型の技術，文化，スポーツ等の事業展開を推進する。

③ 創造的産業の創出を目指し，かつ，クリエイティブ産業等の誘致と育成に取り組み，更なる地域活性化による若者の地元就職を推進する。

なお，本センターの組織図を図1-1-1に示した。

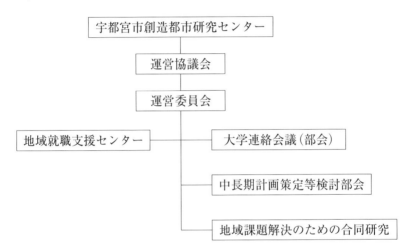

プロジェクト
・地域活性化のための共同プロジェクト研究班
（研究ゼミナール，アントレプレナー研究グループ）
【構成団体】
宇都宮共和大学，作新学院大学，帝京大学宇都宮キャンパス，文星芸術大学，協力校：宇都宮大学，宇都宮市，宇都宮商工会議所，宇都宮市商店街連盟，宇都宮まちづくり推進機構，トヨタウッドユーホーム株式会社，NPO法人とちぎユースサポーターズネットワーク

図1-1-1　宇都宮市創造都市研究センター組織体系

1.5　今後の展開

　宇都宮市創造都市研究センターとして，今後，様々な事業を展開していくこととしているが，特に以下の2点について今後も重点的に取り組んでいくこととしている。

　①宇都宮市創造都市研究センターを形成する大学と宇都宮市・経済界等による地域活性化の共同研究の一環として，各大学から選出した学生による「創造都市研究ゼミナール」および「アントレプレナー研究会」が活動してきたが，これを継続・発展させ，宇都宮市の地域活性化のための新たな共同研究として取り組むこととする。

　②「大学コンソーシアムとちぎ」の授業科目として現在実施している，宇都宮市創造都市研究センターを形成する大学間による「創造都市大学連携講座」を充実し，新しい時代における大学の在り方を検討していくこととする。

【参考文献】

(1) 丹羽孝仁 (2017)「宇都宮市におけるクリエイティブ産業と創造都市の可能性」『市政研究うつのみや』第13号，pp.61-70

（長島重夫）

第2節　宇都宮共和大学の地域連携事業

2.1　宇都宮共和大学の概要

　宇都宮共和大学（以下，「本学」という）は，都市の生活・経済・まちづくりについて学ぶシティライフ学部と，子どもの発達・教育・子育て支援を学ぶ子ども生活学部の2学部からなっている。本学は，宇都宮市内に2か所，那須キャンパスを含めて3つのキャンパスを有しており，学校法人須賀学園の120年を超える伝統を生かしながら，「まち」，「ひと」に視点を当てて，栃木県央を中心とする北関東圏の地域社会や都市経済の発展に貢献することを目的としている。

　学校法人須賀学園は，「全人教育（人間形成の教育）」すなわち「学生一人ひとりの持って生まれた優れた個性・能力・特質に応じて最大限に伸ばしていく人間教育」を建学の精神としている。これに基づき，「学園の教育理念」として，以下の3項目を掲げている。これは本学の理念でもある。これを以下に示す。

- ●人間尊重の精神と豊かな人間性とを啓培し，民主社会における真にのぞましい人間を育成する。
- ●円満な教養と高い徳性とを培い，個々の特性の伸長につとめ，心身ともに健康な人物を育成する。
- ●自主自立の気風を高め，忍耐力と実践究明の態度を涵養し，勤労と責任を尊ぶ人材を育成する。

　また，学生の生活目標に「一人は一校を代表する」という言葉を掲げ，自らの価値を知り，相手の価値も尊重する心を育むこと，また自覚と誇りを持つことを徹底している。

　本学では，須賀学園の教育理念をふまえ，本学の目的として，「時代の潮流と社会の要請を見極め，常に知識と能力を向上させるとともに大学を地域社会における知的交流の場とし，さらに経済，教育，文化の振興と社会の向上に貢献できる人材を育成することを目的とする」（学則第1条）と定めている。

表1-2-1　宇都宮共和大学の地域社会連携・社会貢献ポリシー

宇都宮共和大学の地域社会連携・社会貢献ポリシー
1．大学は、地域社会と連携し、時代の要請に応え、地域社会の発展に貢献し、地域で活躍できる人材を養成することに努める。
2．大学は、栃木県の事業者、自治体、経済・教育・文化の発展のための各種団体・組織、住民組織等と産官学の連携を行い、地域社会の発展に貢献できるように努める。
3．大学は、教育・研究環境、関連施設、人材等を提供し、地域社会との積極的な交流を図ることによって、大学が地域の優れた経済、教育、文化活動の「知の拠点」となるように努める。
4．大学は、教職員・学生が研究・教育の成果を地域社会に発信する活動を積極的に支援する。国、県、市の設置した数多くの審議会、会議、検討委員会等に、教員が委員、助言者として参加し、地域行政の活動に協力することを支援する。また、教職員は、「宇都宮共和大学コンプライアンス規程」を遵守し、研究者として適切に地域社会に貢献するように努める。

（2017年11月1日制定）

　上記の目的を達成するため，本学は特に地域に根ざす大学の使命として，「社会連携・社会貢献」に関する方針である表1-2-1に示す「宇都宮共和大学の地域社会連携・社会貢献ポリシー」を2017年11月に制定している。

　本学は地域社会に貢献する大学を目指しており，このポリシーにもとづいて，シティライフ学部には都市経済研究センター，子ども生活学部には子育て支援研究センターがそれぞれ設置され，本学の地域連携事業，社会貢献事業を推進している。本学は，公益財団法人大学基準協会より2018年度大学評価において，「社会連携・社会貢献」で最上位の「S」評定を受けている。以下に，2つのセンター（以下，「両センター」という）の事業内容を紹介する。両センターの共通実施の事業については，その旨明記する。

2.2　宇都宮共和大学都市経済研究センターの事業

2.2.1　都市経済研究センターの概要

　本学の都市経済研究センター（以下，「当センター」という）は，2001年4月に開設し，調査・研究，まちづくり，市民公開講座，セミナー，講演会，NPO（非営利組織）との連携など多様な活動を行っている。当センターの目的は，都市経済分野を中心とした学際的，実証的な調査，研究の実施，地域

社会や都市経済の発展に資する政策提言の実施，地域社会との積極的な交流により，地域社会や都市経済の発展に貢献することである。この目的を達成するため，当センターは，次に示す各事業を推進している。

- ●都市・地域経済を中心にした自主研究，共同研究
- ●都市・地域経済等にかかわる受託調査・研究
- ●都市・地域経済関連資料，データの収集，整備
- ●都市・地域経済等にかかわる政策提言
- ●都市経済人育成を目的としたセミナー，講座等の開講
- ●経営等診断，研修，コンサルティング活動
- ●大学，研究機関，企業，行政等との交流・連携活動
- ●研究年報，研究レポート，研究成果等の発刊

　これらの事業は，本学シティライフ学部の専任教員を中心に，学外の研究者や行政・専門家の方々にも客員研究員として参画いただき，学際的な活動ができるよう体制を整えている。宇都宮市の中心市街地に位置するキャンパスの立地を生かし，本学は，産学官の連携をはかりつつ，シティライフ学部のまちづくりに関する専門的知見を地域に還元していく。

2.2.2　都市経済研究センターの主な事業

(1) シティライフ学シンポジウム，シティライフ学講演会

　当センターでは，前身の那須大学都市経済学部時代の2001年に都市経済研究センターを設立したことを契機に，「シティライフ学シンポジウム」と「シティライフ学講演会」を毎年各1～2回開催しており，2022年7月までに39回を数えた（表1-2-2）。

　このシティライフ学シンポジウムは，シティライフ学部の特性を活かし，都市経済，まちづくり，地域活性化といったテーマを中心に，社会情勢に合わせた最新の話題や今後の栃木県や宇都宮市の活性化につながるような具体的な議論を行っており，毎回100名以上の方にご参加いただいている。そのテーマの第一線でご活躍されている方を基調講演者としてお招きするとともに，それに関係する栃木県内の産官学から構成される数名のキーパーソンにパネリストとしてご登壇いただき，基調講演者も交えてパネルディスカッション

表1-2-2　宇都宮共和大学都市経済研究センター主催のシンポジウム，講演会の一覧

回	年	形式	テーマ
1	2000	講演会	新世紀の地域・都市像とは？
2	2001	講演会	世界で注目される活力ある街づくりはどうしてできたのか
3	2001	シンポジウム	21世紀のまちづくり―持続可能な発展の戦略を求めて―
4	2002	講演会	住みたくなる＜まち＞をつくるために
5	2002	シンポジウム	21世紀のまちづくり―産業空洞化にどう対応するか―
6	2003	シンポジウム	21世紀のまちづくり―行ってみたくなる＜まち＞をつくるために―
7	2004	シンポジウム	21世紀のまちづくり―都市・地域再生をどう進めるか？―
8	2004	講演会	21世紀のまちづくり―新市・那須塩原市の発展戦略を考える―
9	2005	シンポジウム	始動する宇都宮中心市街地活性化とその課題
10	2006	シンポジウム	宇都宮都市圏の魅力あるまちづくり―都市のデザインと活力―
11	2006	シンポジウム	豊かなセカンドライフの実現に向けて
12	2007	シンポジウム	賑わいを呼ぶまちづくり―都市の魅力と都市観光―
13	2007	講演会	[親学講座]子供たちへの責任……大人として，親として
14	2008	シンポジウム	サステナブル都市を目指して―宇都宮都市圏のまちづくり―
15	2008	講演会	賢い消費者になるために
16	2009	シンポジウム	都市ブランディング戦略の展開―宇都宮都市圏における取組に向けて―
17	2009	講演会	食と地産地消
18	2010	シンポジウム	転じて福のまちづくり―宇都宮都市圏における新しい暮らし方―
19	2011	シンポジウム	東日本大震災の復興と栃木の産業とくらしを考える
20	2012	シンポジウム	新たな地域の成長戦略―宇都宮都市圏の発展に向けて
21	2012	講演会	これからのキャリア開発
22	2013	シンポジウム	地域資源の活用とまちづくり
23	2013	講演会	人財のイノベーション
24	2014	シンポジウム	まちなかのにぎわいづくり
25	2014	講演会	住めば愉快な宇都宮の実現に向けて
26	2015	シンポジウム	栃木県におけるホスピタリティ産業の発展に向けて―観光の未来と人材育成―
27	2015	シンポジウム	とちぎの観光立県を目指して―ホスピタリティ人材育成―
28	2015	講演会	新しいコミュニティの創造に向けて―人とのふれあいを求めて―
29	2016	シンポジウム	地域連携でめざすまちづくり―宇都宮都市圏のさらなる発展に向けて―
30	2016	講演会	自転車の魅力と観光まちづくりの可能性
31	2017	シンポジウム	"超"魅力的な都市をめざして～まちのにぎわい・活力・うるおい・文化の創出に向けて～
32	2017	シンポジウム	まちを元気にするLRT―交通未来都市 うつのみやの取組―
33	2018	シンポジウム	地域資源を活かした宇都宮都市圏の観光交流拠点づくり～大谷の「美しい村」づくりに向けて～
34	2019	シンポジウム	国際コンベンション都市うつのみや～JR宇都宮駅周辺のまちづくり～
35	2019	シンポジウム	SDGs未来都市・うつのみや～持続可能な宇都宮都市圏を目指して～
36	2019	シンポジウム	とちぎの新インバウンド戦略―地域資源でおもてなし
37	2021	シンポジウム	栃木県におけるMICE未来都市の創造戦略―産官学民によるDMOの具体的な運営を考える―
38	2021	講演会	ポストコロナの観光振興―急回復する米国から栃木県観光復興の新戦略を考える―
39	2022	シンポジウム	栃木県のインバウンド観光復興戦略を考える―食と農，産業と文化，高度先進医療とコンベンションの魅力発信―

資料：本学発行『都市経済研究年報』『都市経済研究センター年報』各号

写真1-2-1　大谷石キットの使用方法の説明をする本学学生（2021年8月筆者撮影）

を行っている。一方，シティライフ学講演会は，1つのテーマに対して少数の講演者からご講演いただく形式をとっており，シンポジウムに比べて1人の講演者から講話を詳しく伺うことができる機会となっている。当センターでは，今後も地域の発展に資するシンポジウムと講演会を定期的に開催していく所存である。

(2) 地域産官学連携事業（子育て支援研究センターと一部共通事業）

　両センターでは，自治体，大学コンソーシアムとちぎ，宇都宮市創造都市研究センターなどの学外の委員会に委員が参画し，また自治体などとの連携事業を実施している。さらに，両センターでは，栃木県教育委員会事務局生涯学習課の事業である「とちぎ子どもの未来創造大学」の講座を2017年度から開設している。これは，子どもたちの学力向上の基礎づくりのため，学校での学習に加え，学ぶ意欲を高め主体的に学習に取り組む態度を涵養するため，小学4年生から中学3年生を対象に，大学等の高等教育機関や民間企業と県が連携しながら実施している事業である。当センターは，まちづくりや経済について学ぶシティライフ学部の特性をふまえ，2017年度に「おカネのひみつ・銀行のひみつ」と題して足利銀行宇都宮中央支店と連携し，金融クイズや銀行内の見学を実施した。2019年度には「新しい路面電車（LRT）をつくってみよう」と題し，LRTを模したペーパークラフトを制作した。2021年度にはシティライフ学部の学生を講師に「Stone Craft ～オリジナル大谷石グッズを作ろう～」と題し，学生がゼミナールで考案した大谷石キットを用いた工作を行った[1]（写真1-2-1）。子育て支援研究センターでは，2019年度に「森と樹木を知り，木工作を楽しもう」，2021年度に「アイ（藍）でマイ箸袋を染めよう！」の各講座を開催した。

　また，「とちぎ観光資源活用研究会」では，世話人を本学シティライフ学部の教員が務めており，約2か月に1回の頻度で勉強会を開催している。本研究会は，大学コンソーシアムとちぎ内の産学官連携サテライトオフィスに

よって観光振興に関心を持つ栃木県内の大学等の研究者を取りまとめて結成された。この組織は，多くの観光地を抱える栃木県において，専門分野の異なる人材による連携による研究を政策提言に活かすことを目的としたものである。この研究会は，2022年10月時点で84回を数える。

(3) 生涯学習支援事業（子育て支援研究センターと共通事業）

本学では，教員が有する専門的な知見を地域に還元する観点から，自治体，企業，産業界等からの依頼に応じた一般向けの生涯学習講座に教員を派遣している。本学シティライフ学部では年1回『宇都宮共和大学シティライフ学部講師派遣制度のご案内』を作成し，シティライフ学部各教員の専門に基づいた講演可能なテーマを案内している。

自治体が主催する生涯学習講座には，シティライフ学部と子ども生活学部，また本学系列校である宇都宮短期大学の教員を派遣している。那須塩原市生涯学習課と本学との連携講座である「那須塩原市民大学連携講座」は，2001年から2022年までに延べ97回の講座が開講された。宇都宮市生涯学習課が主催する「宇都宮市民大学連携講座」は，3年に1回開催され，本学との連携により，5〜6回程度の連続講座が開講されている。さらに，栃木県総合教育センター生涯学習部が主催する「とちぎ県民カレッジ」では，「韓国語初級講座」「初めて学ぶ簿記講座」も毎年開講している。

2021年には，東武宇都宮百貨店との共催で，「東武百貨店文化講座」を開講した。子育て支援研究センター，宇都宮短期大学と連携し，音楽，歴史，文化，食育，都市交通といったテーマで，9月から11月の間に全6講座（各講座2回）を開催している。

(4) 都市経済研究センター年報の発刊

当センターは，2001年より毎年1回研究報告誌を発刊している。2022年5月の発刊をもって第22号を数える。本誌は，2020年に掲載内容をまちづくり活動や産官学連携活動に特化させたことを機に，『宇都宮共和大学都市経済研究センター年報』と改称して発行を継続している。これらの年報は栃木県内外300余りの自治体，商工会議所等の団体，企業，高等学校等に送付しているほか，電子版を本学ウェブサイトと，文部科学省所管の科学技術振興機構が運営する電子ジャーナルの無料公開システムである「J-stage」[2]に掲

載している。この年報の巻頭には，当センター主催のシンポジウムや講演会の記録を特集として収録し，広く地域の方に最新の知見や今後の社会経済の見通しについて発信している。また，本学教員や本学が任命した学外の客員研究員による論考を掲載している。これは，本学ゼミナールによる地域活性化イベントや，企業連携による商品開発など，まちづくり活動や産官学連携活動に関する内容である。以上のほか，学生提案活動の報告，当センターの活動報告，本学関係の新聞等の記事，本学教員の社会貢献活動の状況なども掲載している。

2.3　宇都宮共和大学子育て支援研究センターの事業

2.3.1　子育て支援研究センターの概要

本学子育て支援研究センターは，2010年11月に設立し，地域の子どもたちや保護者，保育，教育に携わる方々のために，公開講座や研修会，子育て支援，イベントなどのさまざまな活動を行っている。この子育て支援研究センターの目的は，第1に，保育・幼児教育・子育て支援分野を中心に，学際的，実証的な調査研究を行い，この分野の理論，政策の発展向上に貢献することである。第2に，研究成果を本学の教育内容に反映させ，本学の教育内容の充実・高度化を図ることである。第3に，公開講座，研修会，子育て家族との交流などにより，研究成果を地域社会に発信し，地域の子どもの福祉の向上に貢献することである。これらの目的を達成するため，子育て支援研究センターは，以下に示す各事業を推進している。

- 地域の就学前施設との交流を取り入れた保育者養成教育
- 子育てネットワークの構築（親子遊びの会）
- 子ども発達臨床プロジェクト（障がいのある子どもと家族の支援／TINY活動）
- 卒業生のためのリカレント教育（リカレント教育）
- 親子の自然体験のための環境教育プログラム（バーベナ）
- 公開講座の開催（年3回）
- 『研究センター年報』の発行（年1回）

これらの事業・活動は，本学子ども生活学部の専任教員を中心に，学生ボ

ランティアと客員研究員の専門家などが共同で実施している。本学長坂キャンパスにある「こどもの森教室」，緑のグランド，保育実習室などを活用し，地域の子ども達や保護者，学生，保育の専門家の交流拠点，子ども達の健やかな発達を支援する実践の場，また研究の場として利活用している。

2.3.2　子育て支援研究センターの主な事業
(1) 公開講座
本学では，子ども生活学部を開設した2011年から，幼稚園教諭，保育士，子どもの教育・保育に関わる仕事に従事している学校教職員・行政職員・一般市民を対象に，その専門的知識や技術を研究し，本学教員と交流することを目的に，連続講座を開講している。2021年度までに延べ36回の講演会と研修会が開催された。乳幼児をもつ受講生のために，講座中は学内の保育実習室を活用して託児を行っている。2015年には金子書房より公開講座をもとにした『子どもの育ちと保育―環境・発達・かかわりを考える』を出版した。

(2) リカレント教育
子ども生活学部では，2015年度より本学卒業生を対象に年3回「卒業生のためのリカレント教育（卒業生のつどい）」と題した支援活動を展開している。これにより，卒業生が保育・教育現場での経験を持ち寄り，本学教員と交流することで，双方の学び合いの場として機能し，学びなおしとしてのリカレント教育の役割を果たしている。

(3) 地域の就学前施設との交流を取り入れた保育者養成
「地域の就学前施設との交流」は，学生が子ども達との触れ合いを通して遊びや保育を体験することで，保育者養成教育の充実を図っており，子ども生活学部設置当初から授業としても位置づけている。学生は，子どもとともに本学のグラウンドで走り回ったり，子どもの森で動植物を観察したりする。こうした交流保育の実践を通して，本学・就学前施設・家庭が連携・協働して地域全体で学び合い，育ちあう教育環境づくりのモデルのありようを探求することが本事業の目的である。

(4) 親子遊びの会
「親子遊びの会」では，子どもの遊びの支援，親子関係の支援，家族同士

のつながりづくり支援などを目的に，就学前の乳幼児をかかえる家庭を対象に，子ども生活学部の学生と教員が2か月に1度，さまざまな活動を実施している。これにより，親同士のネットワーク作りや子ども同士の遊びの拡大を目指している。この活動は，2019年度に大学コンソーシアムとちぎ主催「学生・企業研究発表会」で金賞を受賞した。

(5) 障がいのある子どもと家族の支援

この支援活動は，障がいのある子どもと家族を応援する活動で，TINY（タイニー）と呼んでいる。多くの学生や卒業生がボランティアで参加し，親・子・学生・教員が共に育ちあう実践活動の場となっている。また，「子どもから大人まで障がいがあってもなくてもみんなが楽しい」をコンセプトに，参加型のファミリーコンサートを毎年実施している。TINYは，栃木県の令和元年度「輝くとちぎづくり表彰」で最優秀賞と，宇都宮市の令和3年度市民憲章賞を受賞している。

(6) 自然遊びの会（宇都宮市との連携事業）

自然遊びの会（バーベナ）は，2014年から宇都宮市が主催し，宇都宮市の環境課題の解決を図ることを目的とした学生提案事業である「みやの環境創造提案実践事業」において提案した事業のひとつである。この事業は，本学内の子どもの森において年に3〜4回開催している。主に生物多様性をテーマに，その季節に合う形で昆虫採集やドングリ入れ競争などのプログラムを検討し，子ども生活学部の学生とともに親子を対象に実践を行っている。

(7) 大学連携親子ワークショッププログラム

株式会社栃木トヨタ自動車と連携し，2021年10月に宇都宮市インターパークに開設されたコミュニティスペースである「ミナテラスとちぎ」において，地域の親子を対象とした子育て支援のためのイベントを毎日，開催している。毎回数十名の親子が参加し，親子遊びの会，親子リトミック，(3) 宇都宮短期大学音楽科の講師と学生による音楽コンサートなど多くのイベントを企画し，開催している。

(8) 子育て支援研究センター年報の発行

子育て支援研究センターでは，毎年1回研究報告誌を発刊している。2011年に『研究センター年報』として創刊し，2018年に現名称となった。2022年

3月の発刊をもって第12号を数える。自治体，商工会議所等の団体，企業，高等学校等に送付しているほか，電子版を本学ウェブサイトで公開している。毎号，公開講座の講演録，地域の就学前施設との交流活動などの地域産学官連携活動の報告，学生の研究報告，本学教員の社会貢献活動の状況などについても掲載している。

2.4　宇都宮市創造都市研究センターへの参画（全学的事業）

本学は，宇都宮市創造都市研究センター設立時の2017年から構成メンバーとして参加している。設立時より本学学長の須賀英之が会長を務めている。また，事業運営を担う運営委員会に本学教員が運営委員として参加している。本学は，地域活性化等事業の推進，また大学教育の推進を主に担当している。地域活性化等事業の推進とは，"文化のかおるまちづくり"を具体化するための研究および事業の企画・運営を行う「地域活性化研究プロジェクト班」班長を務め，この催しのプロジェクト事業の開催，また「地域課題解決のための合同研究」の実施を指す。

「地域活性化研究プロジェクト班会議」は，事業の目的を達成するため，宇都宮市創造都市研究センターの参加組織に加え，宇都宮市内外の企業や芸術家（脚本家，デザイナー），市民もメンバーとして参画している。この会議には「4大学連携ゼミ」と呼ばれる宇都宮共和大学，作新学院大学，帝京大学宇都宮キャンパス，文星芸術大学の4校の学生もゼミナール形式で関わっている。このゼミでは，各校から学生研究員を数人任命したうえで，学生たちが研究テーマを設定し，宇都宮都市圏の創造都市化に向けた研究を行う。調査結果や提言は，年1回の地域活性化研究プロジェクト班会議で報告され，その構成メンバーと議論する。本学は，この会議の運営と4大学連携ゼミの指導を担当している。

「地域課題解決のための合同研究」は，大学連絡会議との協力のもと，創造都市と人口，産業，若者の雇用といった地域課題の現状と問題点，その解決方法について，学術的観点から調査・研究を行うもので，本学，作新学院大学，文星芸術大学と宇都宮市で構成され，本学が責任者を務めている。さらに，本学は，大学教育の推進のための「大学連絡会議」の責任者となって

いる。この会議は，運営委員会の下部に位置づけられる部会で，本学，作新学院大学，帝京大学宇都宮キャンパス，文星芸術大学で構成され，高等教育の現状・課題に関する研究・提言，またFD・SD研修会を開催している。

2.5　おわりに

　本学は，「市民社会に開かれた大学」の一翼を担うため，これまでに示した多様な活動により，地域社会や都市の発展に貢献することを目指して活動しており，今後も継続して推進していく所存である。

【註】
(1) 2018年度は台風，2020年度は新型コロナウイルス感染拡大により，中止とした。
(2) J-stageとは，日本の学術ジャーナルを発信するオンラインプラットフォームである。
(3) リトミックとは，音楽を通じて身体を動かしながら音楽能力を伸ばし，表現力や感性を養う教育方法である。

（渡邊瑛季）

第3節　作新学院大学の地域連携事業

3.1　はじめに

　作新学院大学は，宇都宮市の東に位置し，LRT開通後は，JR宇都宮駅から20分程度で大学のすぐ近くの駅（清陵高校前〈作新大・作新短大前〉）と接続している（写真1-3-1）。近くには，栃木県立宇都宮清陵高等学校，宇都宮市立清原中学校があり，学園都市でもある。本学は，教育研究では，経営学部と人間文化学部，その大学院として，修士，博士（経営学）が取得できる経営学研究科，臨床心理士と，国家資格の公認心理師の取得が目指せる心理学研究科の2つの学部・大学院からなる。また，大切な地域貢献には，地域連携広報センターがその責を担っている。

　さて，本学は，宇都宮市創造都市研究センター設立時の2017年から構成メンバーとして参加し，様々な活動を行っており，特に，本節では，創造都市宇都宮都市圏の形成を目指して，作新学院大学が担う地域貢献活動について紹介する。

　この創造都市研究センターは，宇都宮市内の5大学（参加校：宇都宮共和大学，作新学院大学，帝京大学宇都宮キャンパス，文星芸術大学，協力校：宇都宮大学）が連携して，創造都市による発展で，宇都宮都市圏の活性化を推進すること，がミッションである。主な目的は，「創造都市宇都宮都市圏の形成」と「地域をさらに振興できる創造的で高度な人材の育成」を図り，地域貢献を行うことを目指している。本節では，前半で，この目的を達成するための準備段階として，近代明治からのとちぎの歴史を振り返り，とちぎ振興のために活躍してきた人材と，地域貢献に重要な役割を果たしてきた地域振興事業について調査し，後半では，これを参考にして

写真1-3-1　作新学院大学キャンパス

作新学院大学の人材育成と地域貢献活動の内容を述べる。

3.2 とちぎを知る

栃木県，そして宇都宮地域を文化の香る都市として地域振興を目指すため，まず，栃木県の近代の歴史を振り返り，その足跡を探る。このため，とちぎが生み出した代表的な人材をほんの一部ではあるが紹介し，また，とちぎが振興してきた要因についてもいくつか事業を挙げて紹介する[1]。最後に，作新学院の創立から県内の教育機関の歴史を取り上げ，とちぎの人材育成の原点を紹介し，これを基盤とする地域振興の活動について述べる。なお，このとちぎの歴史をたどって所期の目的を達成していくことは，創造都市研究センターの使命であり，これがこれからの宇都宮の発展に連なることが期待できる。また，作新学院大学としても，人材育成，地域貢献推進の手掛かりを得ることにも連なると考えている。

3.2.1 とちぎが生み出した人材

徳川幕府からの封建時代から脱皮し，新しい時代としての明治を起点として，とちぎ地域に貢献した人物を探る[1]。以下に，年代順にその人材と概要を述べる。

【船田兵吾（足利市） 1868-1924】：明治を起点とした日本における教育者の原点である。教育に対する考え方は，「他に頼らず，自ら困難に向かい，自分の力で問題解決にあたる」との自学自習を掲げ，日本屈指の私立学校，作新学院の礎を築いた。船田兵吾は，栃木の人材教育を通して地域発展に大きく貢献した。

【須賀栄子（宇都宮市） 1872-1934】：立派な母親を作ることが健全な国家の基礎となる，との信念のもと，県内初の女学校を建学し，須賀学園を創立して，県内女子教育界の草分けとなった。その後，豊かな暮らしに必要な料理や音楽，そして現在の宇都宮共和大学に連なる栃木の人材教育の基礎を築いた。

【荻野万太郎（足利市） 1872-1944】：社会がまだ未成熟の明治時代，織物産業の財力を生かし，23歳で足利銀行を創設し，その後の足利市の発展に

貢献した。また，渡良瀬水力発電所など多くの足利を代表する企業を設立するなどの地域への振興貢献にも注目できる。

【金谷眞一（日光市）　1879-1967】：電灯がまだ普及していない時代に自家用発電所を作り，さらに，人力車の世界から自動車を利用した日光の交通革命を起こし，地域発展の飛躍の原点となった。また，リゾートホテルとして，日光金谷ホテルを創業し，国際観光地日光を拓いた。

【野口雨情（北茨城市，宇都宮市）　1882-1945】：東京から疎開先として宇都宮に移住し，多くの音楽作品を生み出した。「七つの子」，「赤い靴」など日本の庶民の心に響く名作童謡を作詞した。北原白秋，西條八十とともに，童謡界の三大詩人と謳われた。

【上野安紹（宇都宮市）　1886-1930】：明治から昭和初期の教育者として，実用主義的な全人教育を標榜し，私立宇都宮英語簿記学校を創立した。その後，宇都宮実業学校を開き，宇都宮学園の基礎を創り，現在の文星芸術大学の礎を築いた。また，栃木県会議員として政治を通して，栃木の人材教育にも貢献した。

【山本有三（栃木市）　1887-1974】：小説や訳詩などで読者に勇気と希望を与え，また，「女の一生」，「路傍の石」などの長編小説の執筆で国民的作家となった。その後，政治家としても活躍した。

【濱田庄司（川崎市，益子町）　1894-1978】：バーナード・リーチを師としたイギリス留学から帰り，益子に定住した。その後，多くの国からの外国人たちが陶芸を学ぶために留学して，益子の濱田のもとで修行し，陶芸家として「世界のハマダ」となり，とちぎの益子を世界的に有名にした。

【船田中（宇都宮市）1895-1979】：作新学院の設立者・船田兵吾の長男として生まれ，衆議院議長などを歴任し，わが国の政治経済の発展に寄与した。さらに，作新学院などを通じてとちぎの人材教育にも尽力し，とちぎの振興発展にも貢献した。なお，長男である船田譲は後の栃木県知事として地域発展に寄与している。

【横川信夫（宇都宮市）1901-1975】：戦争を経験し，終戦後は，林野庁長官，参議院議員，などを歴任し，工業団地造成，工場誘致などのとちぎを元気にする政策を実行し，農業県・栃木県を関東有数の工業県に育て上げ，県の工

業振興に貢献した。ものづくり県，とちぎの原点を開いた。

【井深大（日光市）1908-1997】：世界のソニーの創設者。人のまねはしない，をモットーに，モノづくりの天才として，テープレコーダーやトランジスタラジオなどを生産し，ソニーを世界的企業に急成長させた。今までの模倣や改良の日本の電子産業を先進的な産業として興し，その開発先駆者として世界をリードした。

【仁井田一郎（足利市）　1912-1975】：全国的に有名なとちぎのイチゴの礎を築いた。寒冷地には向かないイチゴを改良し，とちぎでも作付けできるイチゴとして農家に恩恵をもたらした。これが現在有名となっているスカイベリーを生み出した原点となっている。

【船村徹（塩谷町）　1932-2017】：「船村メロディー」として，庶民感覚で親しみやすく，愛される多数のヒット曲を生み出した作曲家として日本の歌謡界リードしてきた。わが国を代表する美空ひばりや島倉千代子など多くの著名な歌手が歌い，宇都宮の名を世の中に訴求し，とちぎの振興に貢献してきた。

【渡辺貞夫（宇都宮市）　1933-　】：終戦後，高校1年の時に見た音楽映画をきっかけとし，世界的なジャズメンへの道を拓いた。音にかける情熱は，人々とのふれあい演奏の原点となっていった。世界的なジャズメンの名声により，宇都宮の名を世界に訴求し，地域振興に貢献してきた。

【柳田邦男（鹿沼市）　1936-　】：NHK記者からノンフィクション作家へと転身した。人間の死と生を見つめる気持ちが源泉となっていた。連続航空機墜落事故の原因追及やがんと闘う医師と患者との戦いを描いた作品など多くの有名な作品があり，とちぎの名を世の中に訴求した。

【江川卓（福島県いわき市）　1955-　】：作新学院高校の出身。甲子園に2度出場し，伸びのある豪速球は，奪三振，無失点イニングの山を築くなど快挙を遂げた。話題となった空白の1日を経て，巨人軍に入団した。とちぎの名を世の中に広めるとともに，作新学院の名前を世の中に広く訴求した。

3.2.2　とちぎ振興をもたらした事業

戦後のとちぎの文化の発展や県民の暮しに大きな影響をもたらした事業について，いくつかを取り上げ，その事業と貢献した内容について以下に述べる。

【上野百貨店　1925-2000】：とちぎを代表した老舗百貨店・上野は，今までに経験が少なかった舶来品，大食堂での洋食，屋上遊園地，などを備え，ゆっくりしたショッピングや娯楽などが満喫でき，庶民のあこがれの百貨店として栄えた。しかし時代の流れに逆らえず，近年その幕を閉じた。

【日光いろは坂開通　1954】：日光は，家康，家光の墓所として，また，自然豊かな戦場ヶ原や中禅寺湖などの観光資源もあり，いろは坂の開通はモータリゼーションの波に乗って簡単に行けるとちぎの観光地としてとちぎの発展に貢献した。徳川の文化遺産と風光明媚な日光は栃木県の誇りとなっていった。

【工業団地の造成と誘致　1960〜】：わが国の高度経済成長を背景に，都心沿岸部の工業地帯から雑木林の茂るとちぎに続々工業地帯が形成され，モノづくり県とちぎが形成された。このことにより，県民所得は大きく伸び，田舎の農村生活は大きく変わり，地域振興にきわめて大きな貢献を果たした。

【作新学院野球部，史上初の春夏の連覇　1962】：高校野球の春夏の連覇は難しい，との30年以上続いたジンクスを破って作新学院が初めて連覇した。栃木県民はこの晴れの舞台に大いに喜び，全国に向けて胸を張った。高校野球の人気を集める要因になったといえる。その後選手たちはプロ野球界で活躍した。

【東北自動車道開通　1972〜1987】：高度経済成長の波に乗り，高速道路が全国に張り巡らされていった。活発な経済活動を促進し，行楽の遠距離ドライブの恩恵を庶民は享受した。地方都市宇都宮は，宇都宮都市圏として大きな変貌を遂げ，その後開通する新幹線の恩恵と相まって，宇都宮の文化と経済が大きく進展した。

【足尾銅山の閉山　1973】：閉山に伴い，古河鉱業は縮小されたが，一方で，富士電機，横浜ゴム，日本軽金属，みずほ銀行など古河鉱業を原点とする多くの日本を代表する企業創業の原点となった。また，足尾鉱毒など公害としての負の側面は，今では，清流：渡良瀬川として全国に訴求し，栃木県にとって特筆すべきこととなった。足尾地域は企業誕生の原点となり，また新たな観光地としても期待されている

【東北新幹線開業　1982】：東京オリンピックを契機に，夢の新幹線，ひか

り，に遅れること18年，東北新幹線が開通した。東京まで通勤圏として50分で行けること，仙台へも気軽に行けることなど，田舎のイメージの宇都宮が脚光を浴び，暮らしや文化の発展に大きな影響をもたらした。

【大谷陥没事故：1989，日本遺産認定：2020】：加工しやすく，耐火性のある大谷石は，帝国ホテルに使われたことで脚光を浴びた。しかし，長年にわたっての地下採掘により，採掘場の広大な空間が崩れる事故が起きてしまった。しかし現在は，「大谷石文化」が息づくまち宇都宮，として，2018年に全国に誇れる文化庁日本遺産の認定を受けた。

3.2.3 作新学院大学の人材育成と地域貢献

明治の初めから，わが国における教育の先駆者として，数多くの人材を紹介してきた。その中で，本学の祖である船田兵吾を取り上げ，その他，とちぎで活躍してきた「とちぎが生み出した人材」，「とちぎの振興をもたらした事業」などを述べてきた。これら前項までに取り上げた多くの内容をとりあげ，これを指標に，今後も作新学院大学は，人材育成，地域貢献の推進を目指していく所存である。

本学は，「世界的視野に立ち，地域社会に貢献することで，人類の福祉に貢献できる人材の育成」を目指している。さらに，この目標を具体的に実現するための施策の一つとして，「実学を重視し，地域社会と世界をリードする人材育成の拠点を目指す」，との項目を挙げ，人材育成の教育研究とと，同時に，地域貢献活動を推進している。本学はこの方針に沿って，大学の使命・目的に基づいて独自に設定した下記の基準3点を掲げている。この方針を具体的に実行する組織として，人材の育成では，2つの学部と大学院，地域貢献では，地域協働広報センターが中心となり目標を計画実践している。

①生涯活躍する人材を創る（生涯現役で，一億総活躍社会に貢献する，との意味）

②人材育成に伴う地域貢献・地域連携に関する方針の明確化と情報共有を図る

③地域との連携協働，地域への貢献を実践する

3.3　生涯活躍する人を創り，地域貢献を担う作新学院大学

本学は，1989年の開学以来，地域とのつながりを大切に，地域に貢献し，かつ，地域とともに発展してきた。特に最近の10年は，「地域と共に歩み，地域に学ぶ」をスローガンとして，地域自治体，企業団体，地域住民との連携を深めてきている。この中で，人を創る教育研究と地域貢献活動を実践する作新学院大学について，以下に述べる。

3.3.1　生涯活躍する人を創る作新学院大学

作新学院の建学の精神は，「作新民」の精神であり，「自学・自習」，「自主・自立」を掲げて新しい人材の育成に努めてきている。本学はこの精神にのっとり，「時代の変化にきちんと対応し，自らを常に新しくできる人材を育てること」を教育目標に掲げている。

建学の精神に基づき，教育研究組織は，経営学部，人間文化学部の2学部体制とし，さらに大学院として，経営学研究科（博士前期（MBA），後期課程（博士：経営学））と，臨床心理士と，国家資格の公認心理師が目指せる心理学研究科（修士課程）の2つの大学院を設置している。これを確実に実現するために，付属する5つの支援組織を設置し，学生の教育と学園生活の支援を行っている。これらは，まず第1番目に，隈研吾氏設計の蔵書26万冊と閲覧席320席有余を備えた図書館，2番目に，先進的ICT環境の提供と知識の修得支援を行う情報センター，3番目に，全学的な視野から共通教育の推進と大学教育に関する調査・研究・開発・改善を行う大学教育センター，4番目に，大学の知の知識を活用し，地域社会との連携を図る地域協働広報センター，最後の5番目に，地域の心理臨床的課題に応え，子供の心の成長を支援する「作新こころの相談クリニック」を設置し，さらに最近では，公認心理師課程センターを設置している。これらの組織を通じて，地域に貢献し，地域に役立つ実践的な人材育成と，地域貢献・地域協働活動を遂行している。

3.3.2　地域貢献を実践する作新学院大学

地域貢献・地域連携に関する方針の明確化と情報共有を実行する組織が，

本学の地域協働広報センターである。前述した教育研究支援組織と地域協働広報センター等との協働により，建学精神に基づいた大学の使命と目的を掲げた人材育成教育を着実に実行している。

　本学が行う地域貢献は，個々の教職員の活動，各研究室のゼミを通した教職員や学生の組織的活動，栃木県内の経済，スポーツなどの各種団体や自治体との連携協定や共同事業，さらに県内の産学官金の連携による教育連携事業，教育講習の機会提供，そして，その施設設備の提供による地域貢献と人材育成，など多くの項目にわたって実行している。以下，これらについて述べる。

　まず，地域の大学としての地域貢献の第一の使命としては，地域の人材をお預かりし，地域の発展に貢献できる社会人として巣立たせることである。本学の卒業生の多くは，県内の企業に就職し，地域の発展のため，それぞれの組織体において，それぞれが活躍をしている。また，県外から本学に学んだ学生もかなりの割合で，栃木県内に就職し，地域活性化に貢献している状況にある。次に，地域貢献の第2番目の使命は，大学施設の地域開放にも取り組み，地域住民活動への協働・支援である。本学が誇る付属図書館や清原ホール（600人収容可能）の地域開放，大学祭と地域のイベントとの連携による相互参加，などにも早くから取組み，その実績が地域に認められつつある。また，地域貢献の第3番目の使命は，教員も講演会や行政の委員会への参加，地域のまちづくり活動の支援，学生による若者らしいまちづくり提案の指導など，様々な分野で地域との連携，あるいは協働に取り組んできた。その結果，茂木町，宇都宮市さつきニュータウン，鹿沼商工会議所と，それぞれ相互協力の協定を結び，また内閣府から「立ち上がる農山漁村（を支える）新たな力」という認定を全国の大学ではトップを切って受けるなど，まちづくりの面で実績を上げてきた。また，公開講座や教員免許状更新講習など，大学の人的資源を生かしての講習には，多くの市民の，教職員の参加を得た実績も保有してきている。加えて，宇都宮市創造都市研究センターでは，宇都宮市内5大学が連携してプラットホームを形成し，まちづくりなどの地域振興の行事や研究に活躍している。さらに，地域貢献の第4番目の使命は，教育面における地域との連携である。本学の学びは，机の上だけではなく，

積極的に学外に出て，「現場」での体験的な学びに力を入れてきた。次節で詳しく述べる，那須烏山市や鹿沼市，宇都宮市，などの多くの実践例がある。また，地域貢献の第5番目の使命は，地域経済界との連携による地域課題の研究，地域プロスポーツ団体との連携によるスポーツ・地域振興と実践的な修学体制の強化などにも取り組んできた。最後に，地域貢献の第6番目の使命は，わが国における広域な地域貢献も目指してきた。まずは，東日本大震災および原発被害に対する復興支援をあげたい。ただ，残念ながら教学の面で，組織的な活動はできなかったが，本学の研究室を中心に，栃木県内に移住している被災者支援を行ってきた。また，全学での義援金募集，教員有志による岩手県大槌町の被災地支援活動に活躍している「ハートネット東和」への支援金送付，復興まちづくり支援なども行ってきている。

　以上述べたように，これからも作新学院大学は，様々な活動を継続・強化し，「地域と共に歩み，地域に学ぶ」をスローガンとして，学生を育て，人材育成と，また地域との連携を深めていく。

3.4　地域貢献活動を確実に企画推進するための仕組みと地域貢献実践活動

3.4.1　企画推進するためのミッション

活動を確実に実践する組織を構築し，以下の5つのミッションを掲げて推進している。

①相談支援：企業の健康経営（メンタル含む）の連携支援，共同研究，受委託研究相談
- 「地域連携協力企業制度」の本格的運用の開始：地元企業との協力関係構築の仕組み
- 「作新こころの相談クリニック」開設継続による地域住民へのメンタル健康の相談支援

②地域振興実践とコーディネーション：まちづくり，観光ビジネス，スポーツ振興

③安全安心の地域社会の構築：地域の減災・リスクマネジメントの推進
- 防災に関する人材育成（防災講座の開講と継続実施），防災訓練の実

施，ボランティア派遣

④スポーツを通して，地域振興を担う優れたマネジメントができる人材育成

- ●産学官金コーディネーション（栃木4プロスポーツ，ビッグツリー連携協定）

⑤密接な連携によるタイムリーな広報及び広聴活動：大学＋地域＋企業＋行政＋教育機関

3.4.2　企画推進を確実に実行するための仕組み

活動を確実に実践する組織として，5つのミッションを確実に実行するために以下の組織を構築し，企画を確実に実行している。

①地域協働，地域振興を企画推進する組織の強化

- ●センター実践組織（迅速な実行体制整備）：地域貢献事業PT（プロジェクトチーム）
- ●事業部会の設置と推進：減災‐リスクマネジメント事業推進，短大ボランティア推進
- ● WG（ワーキンググループ）の設置：地域経済・スポーツ関連事業推進，自治体との連携事業推進
- ●地域貢献事業の継続実施：最先端先導的経営特別講演会，清原スポーツ祭典

②地域協働，地域振興の具体的展開に向けた企画と実践

- ●文科省重点施策の実践：リカレント教育（学びなおし）講座の立ち上げ
- ●大学の特徴を訴求するブランディング教育研究事業の推進
- ●地域の防災減災の実践：防災士養成講座による人材育成，防災訓練の実施

3.4.3　地域貢献の実践例

地域貢献の実践例として，以下に述べる7つの項目を挙げる。

①生涯学習への貢献

- 生涯学習センターへの講師派遣，公開講座を通しての地域住民へのサービスなど実施
- 防災士養成研修講座の開講：2022年度までの受講者数：469人
- 連続公開授業「減災・リスクマネジメント概論」の開講：計10回実施
- 公開講座（親子参加型）の開催

経営・人文・短大で3講座を実施。栃木県こども大学との連携事業。（親子が参加）

- リカレント講座の開講

健康スポーツ科学プログラムとして，以下の2つを実施した。

　イ．健康講座（全4回）：体力の測定，健康な身体を作る。
　　　体力を測定し，健康プログラムを提供する。

　ロ．認知症予防講座（全4回）：認知症の予防，認知症対策機能向上。
　　　メンタルトレーニングで転倒防止，健康生活を目指す。

②自治体や団体との連携

以下の事業，委員会等へ参画し，実施している。

- 宇都宮市とのうつのみや次世代産業イノベーションに関する共同研究
　春日正男ゼミ，荻原昭信ゼミなどが参画し，地域産業の次世代産業への移行に伴う様々な課題を抽出し，報告書としてまとめた。
- うつのみやイノベーションコンソーシアムへの参画
　宇都宮市が中心となっているコンソーシアムの会長として，春日正男が新しい産業振興に関する会議に出席し，新たな産業への転換促進を図るべく，産学官金からなるメンバーとともにコンソーシアムに参加している。
- 塩谷町の町づくり
- 鹿沼市のまちづくり
　那須烏山市や鹿沼市における学生によるまちおこし飲食店「ざ　パンチ21」の開業，茂木町の「竹原かぐや姫の郷づくり事業」，「矢板市の中心商店街活性化提案」，宇都宮市の学生交流拠点「きぶな」の設立・運営や「平石地区の地域ブランドづくりプロジェクト」，日光市湯西川温泉の「若者の視点による活性化事業」，そして宇都宮市清原

地区市民センターのホームページ立ち上げとその運営など，学生たちの活躍により地域に大変に喜んでいただき，数々の賞を受賞してきた。

●大学コンソーシアムによる連携

　　県内の18の高等教育機関が連携し，地域の発展に寄与する様々な取り組みを行っている。本学もこれに参画し，コンソーシアムとの共催で最先端先導的経営特別講演会を実施，地域貢献に寄与することを目指し，実践している。

●栃木県経済同友会との連携

　　4プロスポーツを通して，地域の活性化を目指しつつある。

●自治体・企業・高校等との連携協定締結とそれに係る調整業務

　　株式会社栃木銀行，栃木県立栃木商業高等学校，栃木県立鹿沼商工高等学校，宇都宮海星女子学院中学校・高等学校，大田原市，さらに株式会社あしぎん総合研究所，株式会社栃木銀行の提供講座の実施に関する契約，宇都宮市との災害時における救護所の設置等に関する協定を結んでいる

●自治体等との主な連携事業

　　宇都宮税務署 租税教室の開催，宇都宮市 生活安心課 出前講座（消費者セミナー），矢板市就職支援セミナーの開催，宇都宮市長の特別授業を開催した。

③産学官の連携

●産学官連携MOT経営工学講座の実施

　　地域の3大学：宇都宮大学，作新学院大学，白鴎大学が，産業界，行政とも連携し，MOT経営工学講座の連携を実施してきた。県内の人材育成に貢献し，既に600名以上の修了者を輩出してきた。

④教育現場との連携

●公開講座の実施

　　地域の住民との連携，支援を行うべく，公開講座を実施している。保護者と子供のための運動会，思春期の子供を持つ保護者のための講座などを実施した。

⑤地域への優秀な人材の供給

　本学から排出した地域への人材は，学部生：経営学部5,720名以上，人間文化学部1,200名以上，大学院：経営学研究科修士課程：329名，博士授与（経営学）20名，心理学研究科：177名である。なお，博士（経営学）は栃木県では，本学が学位授与できる大学院として文科省に認定されている。

⑥作新こころの相談クリニック

　作新学院大学では，2006年4月に，大学院心理学研究科（臨床心理学専攻，修士課程）を新設し，心の専門家である臨床心理士の養成に着手した。同時に「作新こころの相談クリニック」を開設して，教育や研究とともに地域社会への貢献活動の一環として相談事業を行っている。相談を受けるのは臨床心理士の資格を持つ専任教員のほか，経験豊かな臨床心理士の相談員などが担当する。また，専任教員の指導の下でトレーニングを積んだ大学院生が補助的に相談に応じることもある。「こころの問題」は大変デリケートな領域であるため，誠実に，心を込めて皆様からの相談に対応できるよう，真摯に取り組んでいる状況にある。また，本学に所属する学生の学習と健康的で豊かな学園生活を送ることができるよう豊かな心を育む支援もしている。この組織のアドバイスにより，多感な学生を導き，十分な学修成果が得られるように人材の育成に貢献している。

⑦公認心理師課程センターの設置

　本センターは，社会生活における小学校，中学校，高等学校などの生徒をはじめ，大学生や企業人などのメンタルケア，災害緊急時の心理的ケアとボランティア活動等に関する教育研究を通して，国家資格である公認心理師を目指すメンタルケアの高度な人材育成と地域貢献を目指している。

⑧付属施設，その他の取り組み

　　●付属図書館：図書館は，本学の学生，さらに教職員の教育研究に遂行に重要な機能を担っている。一方で，学外期間との連携による相互貸借や文献複写などを行い，教育研究の支援を行っている。また，地域の一般利用者にも図書や閲覧席などを開放しており，資料の館内閲覧や貸し出し，文献等の複写サービスも実施している。本学の図書館は，蔵書26万冊と閲覧席320席有余を備えた県内有数の図書館であり，本

学の学生はもとより，地域の住民の方たちのための機能も果たしている。

●情報センター：情報センターは先進的ICT環境の提供と知識の修得支援を行う。これは，大学教育センターとの有機的な連携の下に，先端的ICTの教材やコンピュータ，ネットワークなどを利用した各種の高度なICT機器を通じて，これらに関連する知識を習得し，自由に活用できる能力を養成するものである。

●大学教育センター：本学建学の精神である「作新民」から導かれる「自学・自習」「自主・自律」の精神に基づき，チャレンジ精神と真のグローバリズムをもち，多様な価値観とも共存できる心豊かな自己表現力を備え，世界的な視野から地域社会に貢献する人材の育成をめざす，との実学を中心とする教育を重視している。こうした理念・目的を実現するために，教養教育と専門基礎教育を重視し，自学・自習を遂行できる基礎的学力の形成と社会的な自立と自己実現を図るキャリア教育を推進している。また，専門教育は，ゼミなどの少人数教育を軸に，専門的知識や学問領域を組み合わせて学際的力量を身につける実践教育を目指している。

●教職実践センター：教職実践センターは，大学及び女子短期大学部幼児教育科の教職課程の実践的中心として位置づけられており，教員免許状の取得と教員採用試験合格を目指して具体的な計画が立てられ，学生が安心して学び続けられる体制を整備し，学習支援を行っている。

3.5 宇都宮市創造都市研究センターにおける役割

本節では，宇都宮市創造都市研究センターにおいて作新学院大学が果たしている役割について述べる。本学は，センター設立時の2017年から構成メンバーとして参加している。設立時より本学学長の渡邊弘が運営協議会の副会長を務めている。また，事業企画運営を担う運営委員会の委員長，さらに，「地域活性化研究プロジェクト班会議」の委員，事業評価委員も務め，各種事業の推進，大学教育の推進を担当している。なお，地域活性化等事業の推進は，"文化の香るまちづくり"を具体化するための研究および事業の企画・運営を行い，この中でのアントレプレナー研究を実施することであり，この

研究推進プロジェクトの研究代表者を務めている。この研究には，本センターの参加大学に加え，宇都宮市内外の企業や芸術家(脚本家，デザイナー)，市民もメンバーとして参画している。さらに，「4大学連携ゼミ」と呼ばれる宇都宮共和大学，作新学院大学，帝京大学宇都宮キャンパス，文星芸術大学の4校の学生に加え，協力校である宇都宮大学の学生もゼミナール形式で学生研究員として参画している。学生研究員たちは，研究テーマを設定し，宇都宮都市圏の創造都市化に向けた研究を行っており，既に，1期2年の3期目のプロジェクトが現在実行されている。その成果は，宇都宮市が主催する「大学生によるまちづくり提案221」で最優秀賞，大学コンソーシアムとちぎが主催する「第8回学生＆企業研究発表会」での金賞を受賞している。なお，このプロジェクトの調査結果や提言は，年1回開催される地域活性化研究プロジェクト班会議で報告されている。

3.6　おわりに

　本稿では，宇都宮市創造都市研究センターが，市内の4大学と協力校の宇都宮大学が連携して，創造都市宇都宮都市圏の発展と活性化を推進することをミッションとして活動している内容について，作新学院大学が果たしている役割を述べてきた。まず，郷土を知るという意味で，とちぎ振興のために活躍してきた人材と，地域貢献に重要な役割を果たしてきた地域振興事業について調査し，その内容を述べた。次に，作新学院大学として，これを参考にして本学の人材育成と地域貢献活動の内容の現状を紹介してきた。特に，高等教育機関としての大学の使命である，人材育成と地域の発展振興を目指す，との本学の使命と内容について述べてきた。今後は，これを目標に，本学は，創造都市研究センターの各種の活動を継続実践し，地域貢献を果たしていく所存である。

【参考文献】
(1)『とちぎ20世紀(上巻，下巻)』，下野新聞社，2000年
(2)『足利の血脈』，(株)PHP研究所，2021年

(春日正男)

第4節　帝京大学宇都宮キャンパスの地域連携事業

4.1　帝京大学宇都宮キャンパスについて

　帝京大学宇都宮キャンパスは，宇都宮市の北部に位置し，JR宇都宮駅からバスで約20分と閑静な住宅街である豊郷台の中にある（写真1-4-1）。敷地面積は約10万㎡あり，東京ドーム約6個分の広さがある。教養教育や専門基礎教育を学ぶための全学科共通の本部棟の他，各学科別に研究棟が建てられている。帝京大学宇都宮キャンパスは1989年に開設し，現在34年目を迎えている。開学当時は理工学部のみの単学部のみキャンパスであったが，これは，宇都宮市が1984年にテクノポリスの指定を受け，帝京大学に積極的に理工系の学部の誘致に動いたことにある。テクノポリスは，先端分野を研究する大学や研究施設を中核にして先端産業を誘致することで，先端技術の集積地域を形成しようという通商産業省（現・経済産業省）の構想で誕生したものである。「一流の施設と教授陣」を揃え，「実学教育」を目指して理工学部を開設しようとしている帝京大学が選定された。

4.2　学部学科・研究科

　宇都宮キャンパスに設置された学部学科は，1989年に理工学部（機械・精密システム工学科，電気・電子システム工学科，材料科学工学科，情報科学科，バイオサイエンス学科）でスタートし，その後理工学部では通信教育課程の設置や学科の改組や統合などが行われたほか，医療技術学部柔道整復学科が2008年に，経済学部地域経済学科が2011年に設置された。また，それぞれの大学院研究科が設置され現在に至っている[1]。

写真1-4-1　帝京大学宇都宮キャンパス
（帝京大学宇都宮キャンパス総務グループ
撮影）

　現在の設置学部学科・大学院研

究科は次のとおりである[2]。

- 理工学部：機械・精密システム工学科，航空宇宙工学科，情報電子工学科，バイオサイエンス学科，情報科学科通信教育課程
- 理工学研究科総合理工学専攻博士前期課程（修士課程），博士後期課程，理工学研究科（通信教育課程）情報科学専攻修士課程
- 医療技術学部：柔道整復学科，医療技術学研究科柔道整復学専攻修士課程
- 経済学部：地域経済学科，経済学研究科地域経済政策学専攻修士課程

4.3 地域連携等への取組み

帝京大学宇都宮キャンパスは地域連携途への取り組みとして，次のような様々な取り組みが行われている。

まず，宇都宮キャンパスでは，地元産業界との連携を推進するため，複数の団体・協議会へ参画している。なかでも，栃木県が運営を行っている「とちぎ産業プロジェクト」は，5つの重点分野（自動車産業・航空宇宙産業・医療機器産業・環境産業・光産業）の振興協議会を設け，それぞれ活動が行われており，帝京大学は，各協議会の監事として選任され，理工学部教員がそれぞれの分野で委員として協力を行っている。

また，「栃木航空宇宙懇話会」は特別会員として参画しており，月例研修会への参加や航空宇宙講演会への共催および教員・学生参加を行っている。

その他，「とちぎ産業人クラブ」，「栃木県経済同友会」，「宇都宮商工会議所」，「栃木県経営者協会」の会員となり，幅広く産業界との連携を行っている。

また，教員による産学連携については，産業界出身の教員が多数在籍する関係で，多くの共同研究や受託研究が行われている。例えば，学生による手作り人工衛星「TeikyoSat-4」の製作についても，産業界の協力が得られている。

また，全学組織である，地域活性化研究センターにおいては，自治体および農業，商店街の個人事業主等，様々な業種の方々に対し，改善すべき事項の調査や事業推進について，教員・研究員や地域経済学科のゼミ学生の活動

写真1-4-2　とちぎ夢大地応援団カレッジ活動（地域経済学科林田朋幸講師撮影）

を通し実績を上げている。

　地域経済学科のゼミでは，例年，栃木県が募集している，大学と地域団体が連携しながら地域課題解決するための取り組みである大学地域活動連携事業にも採択されている。この活動例を写真1-4-2に示した。

4.4　地域との交流について

　高校生向けのオープンキャンパスに限らず，小学生から一般の方々の体験型イベントであるエンジョイカガク（写真1-4-3），栃木県柔道整復師会と共同で実施する柔道整復学科シンポジウム，地域経済学科シンポジウム，サイエンスらいおんシンポジウム，WRO北関東予選会，WROアドバンティクス・チャレンジなど多くのイベントが開催されている。

　また，地域住民を中心とした公開講座も多くのリピーターにより，好評を得ている。

　学生による学園祭には，学園祭実行委員会を組織して，地域住民を巻き込んだイベントも行っている。また，豊郷台1丁目・2丁目・3丁目の各自治会での合同夏まつりもキャンパス内で実施されている。高校生向けの総合学習の一環として学習体験イベントおよび出前授業を行う，サイエンスキャンプを行っている。

写真1-4-3　体験型イベント　エンジョイカガク（帝京大学宇都宮キャンパス総務グループ撮影）

4.5　まとめ

宇都宮キャンパスの地域連携は，以下のように5つにまとめられる。

①機関への参画

- 大学コンソーシアムとちぎ(栃木県内19大学での協同実施)で，参画大学とのイベント合同開催や単位互換制度，共同パンフレットの発行
- 「宇都宮市創造都市研究センター(宇都宮市内4大学プラットフォーム)」への参画

②主催イベント

- 理工系進学体験イベント　エンジョイ!カガク!!
- 公開講座
- 柔道整復学豊郷台シンポジウム
- 地域経済学科シンポジウム
- WRO Japan北関東予選会
- サイエンスらいおんシンポジウム　他

③外部からのイベント要請

- 子どもの未来創造大学(栃木県教育委員会)
- わくわく体験教室(豊郷地区生涯学習センター)
- 宇都宮市民大学(宇都宮市教育委員会)

④教員および学生のイベントへの派遣

- 科学フェスティバル(栃木県子ども総合科学館)
- かわちふるさとまつり(河内地区市民センター)

⑤施設開放

- 各種資格試験等の試験会場としての校舎の貸し出し
- 地域の中学・高校に対してのテニスコートなど体育施設の貸し出し
- 豊郷地区体育協会の野球大会，ソフトボール大会へのグランドの貸し出し
- 豊郷元気スポーツクラブへの太極拳教室のためのアルファアリーナの貸し出し
- 宇都宮商業高校文化祭に際し学生駐車場の貸出

- 宇都宮市消防団に夏期消防点検実施のためのグランド・体育館の貸し
  出し
- さくら開花時期にはキャンパス内のさくら観覧のためキャンパス開放
- 地域の夏祭り「豊郷台夏まつり」の会場として体育館の貸し出し
- プロバスケットボールチーム「リンク宇都宮ブレックス」に体育館の
  貸し出し

以上のように，帝京大学宇都宮キャンパスは，様々な地域への貢献・協力
を行っている。

【参考文献】
(1) 学校法人帝京大学 (2016)『帝京大学創立50周年記念史―歴史をしのぐ未来へ―』, 出版文化社，pp.29-73.
(2) 帝京大学 (2021)『令和3年度大学機関別認証評価　自己点検評価書［日本高等教育評価機構]』，pp.97-100.

（乾泰典）

第5節　文星芸術大学の地域連携事業

5.1　現状

　文星芸術大学は，宇都宮市の北部に位置し，「デザイン」，「マンガ」，「総合造形」の3専攻と大学院からなる。1989年に開学し，同時に，アート専攻において，「アート・プロデュース」というゼミ単位での新たなグループを組織し，「まちづくり」，「アート教室」，「活性化研究のための諸活動」等に取り組んできた。その後，全学的に地域との連携に取り組むための窓口として，2008年9月，「芸術文化地域連携センター」（以下「センター」という。）を設置し，このセンターにより様々な地域と，多くの連携事業を実施してきている。センターは，地域貢献と学生の技術・センスの向上等を目指すとともに，学生のキャリア教育実践の場として，様々な地域との連携事業に取り組んでいくことが設置目的となっている。以下，これらの内容を紹介する。

5.2　芸術文化地域連携センターの役割

　本センターが中心となっている文星芸術大学の地域連携の概念図を図1-5-1に示す。

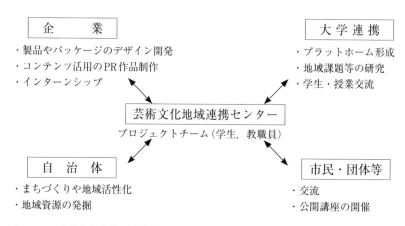

図1-5-1　文星芸術大学の地域連携の概念図

このセンターは，現在，「地域貢献と本学の学外発信」をコンセプトとして，芸術系大学ならではの地域連携事業に取り組んでおり，「デザイン」，「マンガ」，「総合造形」の3専攻が特色を出しながら，企業，自治体等と年間約50件（2013年以降）の連携事業を実施している。2019年度末までの取組み総件数は，468件である。その中の割合は，まちづくり・地域貢献関係が40%，自治体関係が30%，デザイン関係が21%，その他は9%である。

5.3　センターの地域連携事業の取組み

現在までの地域連携事業の内容の例をいくつか紹介する。

5.3.1　取り組み事例1

センターの本格的な活動の契機となったのは，寺院（日光市）の天井画制作である。智積院（京都：真言宗智山は総本山）の国宝障壁画から花を中心に模写し，3年間で88枚制作した。芸術を学ぶ学生の可能性を信じ，想いを託した寺院住職と学生が技術向上と遠い未来まで残っていく作品に全身全霊を込めて取り組んだ事業で，地域貢献と学生のスキルアップを目指す典型的な地域社会との連携事業であった。この後も天井画制作は，日光二荒山神社，宝蓮員（宇都宮市）と続き，マスコミでの報道もあり，本学の地域連携事業に関する認識が広まった（写真1-5-1）。

写真1-5-1　寺院の天井画（日光市泉福寺）

5.3.2　取り組み事例2

取り組み事例として，さらに，獨協医科大学病院（2011年）や国立病院機構栃木医療センター（2015年）において，学生が制作した絵画作品を院内に展示し，入院・通院されている方々の癒しおよび学生の作品発表の機会として，「ホスピタルアート」を実施し，現在も継続事業として取り組んでいる（写

写真1-5-2　ホスピタルアート（獨協医科
大学病院）

写真1-5-3　ＮＨＫ宇都宮放送局特集番組
案内チラシ

真1-5-2)。

5.3.3　取り組み事例3

マンガ専攻においては，教育・研究しているデジタル技術を駆使した「デジタルマンガ」による連携事業を盛んに取り組んでいる。大田原市と2016年に，動くマンガ（モーションコミック）による全国初の自治体PR動画，「天地の生粋」（5分50秒）を制作した。この技術を駆使し，2017年にはNHK宇都宮放送局の特集番組「トライ」が制作された（写真1-5-3）。その他，企業のPR冊子・チラシや自治体の広報誌等を，学生のキャラクター制作により，ビジュアル的で分かり易い作品として仕上げており，制作依頼も多い。また，企業や自治体以外でも，獨協医科大学から，看護学部の授業で使用する教材をマンガで制作してほしいとの依頼があり，「マンガはとてもシンプルでわかりやすい」との評価もあって，宇都宮市内のIT企業との3者共同により制作に取り組ん

でいるという取り組み事例もある。

5.3.4　取り組み事例4

デザイン関係では，宇都宮市で開催される自転車競技「ジャパンカップロードレース」優勝者に贈呈するトロフィーを地場産の大谷石を使って制作した。

写真1-5-4　宇都宮競輪場ロゴマーク

写真1-5-5　パッケージデザイン（グミ）

その他，マンホールの蓋のデザイン，宇都宮競輪場のロゴマーク（写真1-5-4），各地の観光協会の観光ポスター等ジャンルを問わず様々な作品制作を行っている。

　また，2017年には，JRと県の事業として実施した観光キャンペーン「デスティネーションキャンペーン」に協力するため，UHA味覚糖株式会社との連携プロジェクトとして栃木の名産・イチゴを材料とした「グミ」の新商品を開発し，そのパッケージデザインを制作した（写真1-5-5）。新商品は全国販売され，増産を行うほど好評を得た。

5.4　起業，プロジェクトへの取り組み

　今までに，センターが中心となって実施してきた多くの実績が認められたことにより，さらにたくさんのデザイン関係の依頼がきている。このことから，センターとしては，これをビジネスとして事業展開することを検討し，商品のパッケージ，パンフレットの企画，デザイン制作，キャラクター考案，写真撮影等を業とする，学生ベンチャー・「株式会社ヤッペ」を，2014年11月に学内で起業した。社長には学生が就任し，収支決算から確定申告も行っている。この大学内企業では，それぞれのプロジェクトごとに学生をアルバイトとして雇用し，企業経営のノウハウを学ぶなど，学生にとっては貴重な経験をすることとなり，歴代の社長（3人）は，卒業後，いずれも県内の優良ベンチャー企業に就職し，活躍している。なお，学生の卒業アンケートでも，座学のみでは味わえない得難い体験をすることができたという回答が多く見受けられ，アントレプレナーとして挑戦するという，大学の実践的で新しい

人材教育としても期待されている。

　また，県の補助事業（大学地域連携活動支援事業）として，足利市の空き家を「和紙でくるむ家」としてリノベーションを行い，改装後は学生の作品展・研究発表の場として活用するプロジェクトに取り組んでいるほか，「灯りのある街づくり」プロジェクトに「切り絵」制作により参加している。

　さらに，自治体におけるPR戦略として，本学の学生が持つ芸術文化に関する知識（資源）を活用する事案が多くなっている。2013年5月に鹿沼市と包括連携協力協定を締結したのを皮切りに，現在までに，7市3町の自治体と協定を結び，芸術文化を切り口とした地域活性化に関する様々な事業プロジェクトに取り組み，将来の起業に向けての人材育成教育に当たっていきたい。

5.5　今後の展開

　本学は，2018年4月から，「総合造形専攻」に「地域文化創生」分野を設けた。この分野は，地域に伝わる文化・歴史を幅広く学び，芸術を通して得た本物を見分けるセンスにより，クリエイティブな考え方，発想方法を身に付け，地域の発展に貢献する教育・研究を行っている。座学のみではなく，地域において文化・歴史を肌で感じ，如何にその地域に伝わる文化・歴史を活用して地方創生を図っていくかを学ぶとともに，学生の芸術的センスを養うカリキュラムを取り入れ，芸術文化分野における新たな人材育成教育として取り組んでいる。これには以下の2つの取り組みがある。

　(1)連携・協力協定を締結しているさくら市と，「地域課題共同研究協議会」を設置し，さくら市職員と本学の学生・教職員が一体となって，地域活性化，観光開発，プロモーション等さくら市のニーズに対応するための地域課題を共同で研究（課題解決型学習（PBL=Project Based Learning）し，その研究成果をさくら市に還元する取り組みを行うこととしている。

　(2)2020年度には，同じく連携・協力協定を締結している栃木市と，課題解決型学習として学生を現地に派遣し，栃木市における地域課題の発掘や課題の解決に向けた実践的な教育プロジェクトを実施した。

　以上の取り組みは今後も継続して，他の自治体とも，積極的に取り組んで

いくこととしている。

　一方で，近年新たな視点として，AI（人工知能），デジタルの研究が進み，2050年には全人類の脳を合わせたものと同じ能力を持つシステムが開発され，さらに，世界はIoTで動く時代になると言われていることから，あらゆるIoTの中でのライフスタイルが主流となってくることが予測される。例えば，マンガにおいては，「AR・VR・3Dなどのマンガキャラクター」によって表現し，伝え，喜ばせることができる「日本発信の新しいIoTでの表現」のシステム開発に取り組む機運が進んできており，アート＆サイエンスの時代ともいわれている。文星芸術大学としても，このような社会情勢の変化に対応した教育・研究に先駆的に取り組み，「特色のある大学」・「地域に存在感のある大学」を目指していくこととしている。

　また，現在は，5Gの時代とも言われており，「高速・大容量」「低遅延」「多数端末との接続」によるICT技術があらゆる可能性を秘め，正に，アイデアが形になっていく「シンギュラリティ」，すなわち，高度化した技術・知能が，人類に代わって文明の進歩の主役になることで，第4次産業革命として注目されてくる時代になると言われている。本学として，今後，特にマンガ・デザイン分野については，こうした時代背景を視野に入れながら教育・研究に取り組んでいくこととしている。

　以上に述べたように，今後とも，宇都宮市創造都市研究センターが創設されたことを契機に，今までの実績に加え，目まぐるしい社会変化に対応した新たな教育・研究を行いながら，地域における高等教育機関としての役割を認識し，センターを形成する大学とともに文星芸術大学としての教育資源を駆使して地域活性化に取り組んで行くこととしたい。

（長島重夫）

第2章 連携組織による創造都市化への取り組み

　本章では，創造都市実現に向けて連携する産官の産業界・自治体等の各組織の取り組み状況を紹介する。

第1節　映画と創造都市について

　本節では，創造都市化への取り組みに向けて，映画の作成に携わる分野から，現状を見た視点に基づき，希望を述べる形で，「映画で愉快だ，うつのみや—映画による文化創生都市作りの提案—」との立場から映画と創造都市について述べる。なお，この内容は，2018年の宇都宮市創造都市研究センター「地域活性化のための共同プロジェクト研究班」の意見交換会講演をベースに，コロナ禍の2022年2月現在までをまとめたものである。

1.1　うつのみやで暮らすことの素晴らしさについて

　脚本家，映画監督の鈴木智です。僕は宇都宮東高校を出まして，ずっと東京で生活していたのですが，妻が宇都宮の人で，東京で共働きして働いているよりも宇都宮のほうが暮らしやすい，ということで宇都宮に越してきました。このため，仕事は東京と宇都宮を行ったり来たりしていまして，東京にも一応仕事場を借りてそういう行き来を12年やっています。しかし，宇都宮で仕事をしていても全く問題ないです。僕の仕事の特殊性というのもあるのですが，打ち合わせだけ東京でやっておけば仕事はどこでもできるという部分もあります。

　例えば僕のような脚本家とか，映画監督もそうですし，イラストレーター，デザイナー，IT関係の人は東京と宇都宮を行ったり来たりしてお仕事ができると思うんです。鈍行でも2時間で，企画書も電車の中で書けてしまうし，気分の切り替えもできますし，この意味で過ごしやすい良い生活をしています。僕は宇都宮が大好きですのでそういった方にもっと来ていただきたいなと思うのですが，一番，足りないのは文化です。映画館に日常的に行けない。宇都宮はとても良い街なので，もうちょっと文化の発信をしていってほしいなということがあります。なお当時は東京にも仕事場としてマンションを借りていましたが，現在はコロナによって東京の仕事場は完全に引き上げ，打ち合わせは日帰り，もしくはホテルの宿泊で仕事をしています。それでも大き

な問題はないようですし，今後，コロナによって価値観の変化が進み，もっと密集した東京を脱出したいというクリエイターは多くなると予想します。地方のほうが広い仕事場などが安く借りられるので。地方都市宇都宮は東京に近く，生活環境も良い場所を求めるそうしたクリエイター等の選択肢の一つとして注目を浴びると嬉しい限りです。

1.2 映画で人生を豊かに

僕は脚本家であまり食えない頃に，東京のMXテレビで23区全部行きましてまちづくりをドキュメンタリーにしていく番組を作っていました。もともと街が好きなんですが，その中で感じたことを話させていただきます。

ここでは，まず，「映画で愉快だ，うつのみや」というタイトルにさせていただきますが，文化をつくるということは，求心力のある場を持つこと，そして何よりもそれを発信することだと思っています。そういう発信の拠点があることは素晴らしいと思うんですが，そこで何を作っていくのかということで，僕の専門の映画について話したいと思います。

映画作りというのは夢がありまして，お祭りに例えられることもあるんですが，数年前，宇都宮の地元，実家を使って映画を撮影しました。作成したこの映画は，50代の方とか，あるいは40代の方とかにものすごく反響がありまして，自分たちも参加したいということをすごく言って下さるんです。宇都宮東高や母校である早稲田大学のOB会にも，そういう声を頂きました。やっぱり僕らの年代になってくると，いろいろ見えてきちゃうことがある中で，映画って，僕の作品もそうですが，僕らが作ったものがずっと残っていったりします。海外でもですが，例えばニューヨークのビデオショップに行っても僕の作品があるんです。がんばればどこまでも伸びていくというか，自分の足跡というか，そういうことが喜びでもありますので，皆さんが映画作りによって活気のある生活をできるようになったら，なおさら良いのではないかと思っています。

もう一つ，宇都宮は立地が大変良くて，東京からものすごくロケが来ているんです。栃木県フィルムコミッション[(2-1-1)]さんのほうから資料を頂いたのですが，昨年は，映画のロケ活動により，1億4,000万の直接経済効果があっ

て，前年比28％アップということでした。なぜ宇都宮がロケ地に良いかというと，東京から非常に近くて交通の便が良く，日帰りができる。そして警察や県庁も協力的なんです。例えば，「シン・ゴジラ」を撮っています樋口真嗣という監督は，「ローレライ」がデビュー作であり，僕がその脚本を書いているからよく知っているんですが，あの人が大通りで撮影をしているときに子どもたちを連れて見に行ったりしました。子どもたちが，ここで怪獣が暴れるんだぜ，とか，ここで撮ったやつが全国に公開されるんだぜ，という話をしているのを聞くと，僕たちが子どものときにそういうのを見て夢を抱いていたのと同じように，現在の子どもたちにも夢があると思うのです。

1.2.1　2020年度栃木県フィルムコミッション支援実績について

　2020年度のフィルムコミッション事業については，412件の相談，43件の撮影実績があり，その結果，直接的経済効果（撮影隊の宿泊代や弁当代など，県内で消費されたロケ関連経費）の合計額は58,300千円，県全域の撮影件数は273件，直接的経済効果の合計額は170,049千円となった[2-1-2]（表2-1-1）。

　なお，コロナ下の2020年においては，多くの企画がSTOPし，私個人も次々に仕事が止まり，大変な困難に遭遇しましたが，宇都宮のロケは増えていた！これは実感からすると驚異的で，遠方でのロケが難しいために逆に増えたとも思われます。ここにも宇都宮の地の利が作用している。場合によってはコロナによって宇都宮ロケの有用性がさらに認識されたかも知れないとも思います。

表2-1-1　栃木県フィルムコミッション実績（平成28年〜令和2年）

		H28 (2016)	H29 (2017)	H30 (2018)	RI (2019)	R2 (2020)
相談件数		322件	326件	302件	343件	412件
	対前年度比	93.1％	101.2％	92.6％	113.6％	120.1％
撮影件数		56件	71件	37件	74件	43件
	対前年度比	90.3％	126.8％	52.1％	200.0％	58.1％
直接的経済効果		140,827千円	143,167千円	124,703千円	282,413千円	58,300千円
	対前年度比	127.1％	101.7％	87.1％	226.5％	20.6％

※上記数値は市町単独支援を除く

1.3 ロケツーリズム

　ロケツーリズムといったものが最近言われています。いろいろなロケ地やアニメの舞台がいわゆる「聖地ツアー」の名所になっており，そこにファンがたくさん訪れ，経済効果や知名度を上げているということです。宇都宮では栃木フィルムコミッションさんのホームページ[2-1-1]をちょっと見るだけでも「アウトレイジ最終章」とか「散歩する侵略者」，NHKのドラマのロケもやっていますし，「コード・ブルー」という大ヒットしているフジテレビの映画も，「忍びの国」，「帝一の國」などもやっているんです。東映作品は，大谷を始めロケ地になることは特に多く，Amazonで世界配信されている「仮面ライダーBLACK SUN」もそうですね。たくさんやっているのですが，県民はこういった意識がありません。素晴らしいところだからロケをしているのです。映画というのは映ったものが全てですから，それが良くないと，だめになってしまいます。

　僕たちがロケーションを見に来ると，いろいろな素晴らしい要件が宇都宮にはそろっている。風景もそうですし，餃子があることは結構大きいですよね。ロケに行った後に，スタッフにどうやって喜んでもらうのかというのを制作側は考えるものですから，撮影が終わった後，餃子が食えるぜ，飲み屋がいっぱいあるよと……。そんな楽しみがあるんです。

　次に，WOWOWでやった僕の作品「トクソウ」というドラマをちょっと紹介させていただきます。

　今話題の，女性記者のセクハラ問題とか忖度問題とかを織り込んだ東京地検特捜部と地方記者の話です。これは数年前に撮ったのですが，先取りしているんじゃないかということで現在は再注目されています。三浦友和さんと吉岡秀隆さんの主演なのですが，これはほとんど官庁や会社のシーンを県庁の内部で撮っておりまして，僕も撮影に協力しました。県庁は，なかなか気づかないのですが，いろいろな映画で使われています。こんなに協力的なところないんですよ。だから「シン・ゴジラ」なんかでも県庁で相当撮っていて，県庁の方にも，たくさんの方に出演していただいたのです。県庁の中では結構盛り上がっていたらしいです。一般の方も入っていて，時々セリフを言ってくれなんて言われます。その後，県庁の近くの通りの飲み屋さんに行きま

して，そういう地域の方との交流みたいなこともやっているんです。ただ映画には，著作権とか，いろいろ経費の問題があって，なかなか観光に利用できないところがあります。いろいろな市町村でこういうロケの誘致をやっておりますが，企画の段階で入っていかないと，権利問題がありますので結構交渉が面倒なんです。なお，映画製作の企画の段階とか誘致の段階とかで入る場合は，条件づけが出てきます。例えば，宿泊費の何％は出しますから，みたいなことがあればいいんですが，協力体制は取りますよ，と話をすると，撮影するプロデューサーもなるべく円滑に地元に協力してもらって撮影したほうがいいものですから，話はさらに進みます。それでは，どうやって企画の初期に噛むか，ということですが，企画の早い段階ではプロデユーサーはお金集めに奔走しています。そこで，市や，県や，事業団体が前向きに門戸を開いてくれるとありがいたいですし，それを公示する必要があります。この段階で，宇都宮は話しがわかり，協力的でもあり，場合によっては資金の協力も得やすいという評判になると，企画の話は集まって来ます。ですからそういう窓口として民間と公とを横断した「企画協議会」などがあると，いっそう映画の町として宇都宮が注目されると思います。出資ということになると映画がヒットするとリワードも期待できます。

　ロケの直接の効果としましては，宿泊費を落としてくれることです。例えば僕がやった「トクソウ」では70人くらいのスタッフが1週間くらい泊まっているわけです。映画になるともっと多いです。役者を入れて150人くらい，1か月くらいで撮影することもあります。行き来をする交通費，セット組立費を地元でやる場合があります。会場のレンタル費はお金を払って場所を借ります。あと機材の運搬費とか。例えば僕は，70人のスタッフがいて，すごく寒かったので，近くのコンビニを回って，熱い缶コーヒーを70個買って持って来たことがありました。微々たるものかもしれませんが，積み重なると結構大きな費用対効果があると思います。

　それと一緒に，ロケ見学とか，エキストラ，ボランティアの人たちとの交流，社会効果としては，一般の方，シルバー世代の方はなおさら，余暇の活動が充実できると思います。今後は明らかに配信の時代です。コンテンツを持っている者が勝ちということです。WOWOWとか，Amazon, Netflix, ディズニー

＋1，Apple TVなどにかかって，作ったコンテンツというのはいろいろ回していきまして，いろいろなところで目に触れる機会が出てきます。それが宇都宮の作品だということになってくると，僕が関わっているよとか，その映画に出てるんだぜ，みたいなことになり，孫の代まで語れるとか，いろいろ楽しいんじゃないかと思います。

さらに，撮影の後に配給上映というのがあります。このときは俳優を呼んでイベントを開いたり，市民とのふれあいの場も作れます。企画の段階から関わっていますと，いろいろ考えられると思います。そういうことが全体に都市生活の向上につながっていくのではないかと考えます。この中で，これは非常に大成功した例[(2-1-2)]なのですが，「ガールズ＆パンツァー」という，女の子たちが戦車に乗って戦車戦をする，部活動みたいなことをやるアニメがあります。これは大洗町を舞台にしていて，ものすごく観光客が来るようになったんです。「あんこう祭り」というのがアニメの中に出てくるのですが，人口15,000人の街に13万人が来る。「あんこう祭り」はそれまでは5万人くらいの人出だったらしいのですが，すごく増えたと。アニメファンとか，中高年にも広がっていっているんです。

1.4　若者の映画作りが活性化：機材の進化によって低予算でも映画は作れる

映画がたくさん作られるようになった背景として，制作環境の変化というのがあります。機材が非常に高性能，しかも低価格になったんです。今東京では，若者が自分のお金で作った映画が非常にお客さんを集めていまして，海外の映画祭などにも出しています。例えば，若いスタッフが作った「かぞくへ」というのが予算200万ですが，東京でも1カ月以上ロングランしています。「ケンとカズ」というのも200万で作った映画なのですが，全国配給が決まりまして，ビデオ化も決まり，結構面白いことになっています。「飢えたライオン」という200万くらいで作ったものはロッテルダム映画祭に出て賞をとりました。もっと有名なのは「カメラを止めるな」ですね。あれは全国的にヒットして海外でも配給していますが予算は同じくらいだと思います。

200万で作れるというのは，実際はほとんどノーギャラで作っているんです。

役者も監督も。だから本当に200万で作れるかというと，もうちょっと……という話にはなるのですが，そういう熱意やいろんなことを動かしていく状況ができているんです。

　面白いことに，プロが使っているカメラもアマチュアが使っているカメラも，今では実際のところそんなに変わりがないんです。映画とドラマの違いも，機材は一緒だからみたいなことに今はなっていますから，面白い企画であれば，知恵を使えば，割と低価格でも映画が作れる状況はできています。ちなみに僕の短編映画は70万で作ったんですが，学生時代に作った8ミリ映画が30万，今の超一流のスタッフや役者のプロを使ってノーギャラでお願いしたというのがあります。それが70万で出来るという状況です。

1.5　宇都宮を映画都市に

　ではどういうふうに宇都宮を映画都市にしていくのか。若干夢も含めますが，人材の育成，例えば宇都宮市のイエローフィッシュ[2-1-3]などを使って映画塾みたいなことをやったらどうだろうと考えています。東京でも，若者たちの作る低予算の映画が受けている一方で，超一流のプロフェッショナルの映画人が仕事がなくなって暇になってしまっていることもあり，彼らがどこかで映画を教えたりとか，自分が学んできたことを伝えたい，ということがあるんです。そういう人は僕が声をかければ来てくれると思うんですが，これからは，撮影から企画から美術から，いろいろなことをやっていく中で，東京に行かなくても映画を学べるとか，地元宇都宮でも映画が撮れるという状況を作っていきたい。それに，東京からスタッフが来ることによって，何と言っても本場は東京の撮影所ですから，スタッフや現場との人的なつながりもできます。どんどん宇都宮の人たちが育っていって，映画界に入っていく，また宇都宮で映画を撮っていくという良い循環になっていけばと思うんです。

　そこで，これを実行していくことを考えて，手始めにできるとしたら，例えばシナリオ塾があります。映画というのは何と言ってもシナリオが最も重要なんです。話が面白くないと絶対良い映画にはならない。例えば宇都宮というのは『物語』のある，ドラマチックな街なんだということで企画を募集して，それを練っていくわけです。それを栃木放送やとちぎテレビなどに協力いた

だきまして，ラジオドラマとか，あと今皆さんが一生懸命やっているデジタル漫画とか短編映画とかに仕上げていく。この権利をちゃんと，映画塾なり，創造都市の企画プログラムが責任を持ちまして，それをPRとして活用していく，ということはできると思うんです。その中で，おもしろいものがあれば，長編としてきちんと作って公開することを考える訳です。

　最近，学生たちがやってかなりの話題になった「田川ブリッジシアター」（写真2-1-1）などもそういうことに繋げられると面白いと思います。そこで，新たな映画を公開するわけです。

　映画都市の構想のもう一つは，宇都宮にいろいろな文化人，アーティストがいますが，それぞれ点在していて交流がなく，まとまりがないと思うのです。でもこういう企画とかの段階で参加していただく。映画というのは総合芸術と言われていまして，全てのアート，文化を内包する部分があるんです。例えば音楽のオリジナルレーベルもありますし，美術のイラストレーター，アニメ作家，脚本家，漫画家もいらっしゃる。観光ではホテルや旅館，文化建造物などもロケ地になり，宿泊とか撮影に協力していただく。そして特産品をうまくその中に使っていく。PRということで使ってしまうとお客さんが引いてしまうのですが，さり気なく活用していく。あるいはスポーツ，例えばバスケット映画やサッカー映画ができるかもしれません。最近僕も宇都宮出身の女優さんや俳優さんといろいろ知り合っているんですけれども，そういう人もどんどん出ていただく。そういうことで映画を作っていくことはできるんじゃないかと思う訳です。ただ，制作費が無料ではできません。そこで企画コンクールを行います。内外から送ってもらって，選んだ企画には制作補助金を出すとか，それをネタにして進行状況をいろんなところで流してもらう。制作そのものをドキュメント物語とし

写真2-1-1　田川ブリッジシアターの上映の様子

てラジオ番組やYouTubeなどで宣伝していく。資金面は一番大きな問題ですが，市の助成とか民間のファンドを作っていかないとできないと思います。このように協力企業，機関によって体制を作り，オール宇都宮としての絆を深めていくことがキーだと思っています，

一方で，映画というのはお祭りなんです。興行ですから，当たるか当たらないか，お金が返ってくるかどうかというのはわかりません。思わぬ映画が当たることもありますし。ただし映画を作ることによる派生効果はものすごくたくさんあります。例えば名刺にその映画を刷り込んでいただくと，会ってまずその話から始まる。そのような非常にソフトなつながり，みんな仲間だよというようなつながりから，いろんな営業活動にもつながっていくんじゃないかということがあると思います。

また作品の公開は，宇都宮ではシネコンがありますし，ヒカリ座さんなんかもこの間お話ししたら，そういうことで宇都宮発の宇都宮でしか作れない映画というのはなるべく協力していきたいみたいなことをおっしゃっていただきました。それと，例えば旧篠原家などの古民家，石蔵とかでイベント上映をする。あと，博物館，美術館なども，そういった映画の上映スペースとしてはあると思います。そういうものがうまくLRTとつながっていくと非常におもしろいんじゃないかと思っています。

なお，栃木県で映画を見られる環境ってあんまりないんです。県内の人，高校生とか中学生が宇都宮に来るんですが，みんなベルモールに行っちゃうんです。それが悪いわけではないですが，県内の人に真ん中に来てほしいということを非常に思っておりまして，何とかこれを皆さんに考えていただけないかと思っております。

1.6　映画祭

今各地で映画祭，というものが行われていまして，これがとても楽しいものです。宇都宮ほどの都市に映画祭がないのはおかしなことです。映画の作り手や俳優を宇都宮に呼んで各地で上映会を開きます。上映する場所は，二箇所のシネコンとヒカリ座以外に，上記したように宇都宮城のうしろにある小劇場「アトリエほんまる」や，「イエローフィッシュ」，大谷や，旧篠原家

などの文化施設を活用することも考えられます。それと素晴らしい橋の下の劇場「田川ブリッジシアター」（写真2-1-1）ですね。何よりの効果は映画を上映して，人が来ることでその場所のアピールになり，それまで関心のなかった人々がそこを行き交うということです。上映だけではなくてシンポジウムなどのイベントも開きます。

　しかし，この映画祭，実は予算以外にマンパワーが相当必要ですが，最近は，「田川ブリッジシアター」や釜川でのイベントなど学生たちの動きも活発ですから，うまく組織できればその点は逆に活性化にもつながると思います。シルバー世代から商店主，学生まで，映画で繋がれればそれはとても意義のあることです。

　コロナが収まれば国際的なお客さん，監督，俳優，いろんなタレントも来て映画のPRをしたり，飲み会をやって交流したり，一般の市民も参加できます。それで餃子サミットみたいなものを同時開催することもできるので，将来的には「LRTで行く宇都宮映画祭」になってくると，国際的な映画の街としてどんどんアピールしていけるのではないかと思います。最終的に，地域アイデンティティの向上につながればいいなと思っております。

1.6.1　「田川ブリッジシアター」

　2021年10月を皮切りに数回上映会が行われています。この企画は，最初に宇都宮市創造都市研究センターの学生たちに相談されまして，その時は宇都宮駅前の田川の橋の脚に既成の映画，たとえば，「エヴァンゲリオン」などを上映したい，という話だったのですが，それなら自分たちでオリジナルの映画を作って上映した方が絶対いいよとアドバイスしました。何を上映するかが大事ですし，借り物よりもオリジナルならすべて自分たちに権利があるわけですから，今後の財産にもなります。またドキュメンタリーならノウハウを教えれば比較的簡単に出来ますし，失われていく時間の貴重な記録にもなります。割と軽い気持ちで話したのですが，もともと宇都宮空襲の戦争を考えるイベントから発生した企画だったこともあって，彼らは本当に証言ドキュメントを作ってしまいびっくりしました。

　その結果，非常に刺激的なイベントになりました。76年前の「宇都宮空襲」

の，まさに多くの被害者が浮かび上がった現場である橋の下での野外上映で，内容がその「空襲」を体験した古老たちへのインタビューなのです。しかもそれを制作して，橋の下に席を整備し，上映したのは戦争と縁のなさそうな若者たちです。その有り様は非常に重層的で，ただ鎮魂や啓蒙の意味だけでなく，映像がきらきらと水面に写ってこの上なく美しいものでした。闇の中でその光に鳩やコウモリも集まって来て臨場感を高め，これまでにないような映像経験となりました。その写真をSNSで紹介したら，僕の知り合いのプロの映画人や海外の友人もこんな絵はみたことがない，とびっくりしていました（凄いことやってるのでもっと発信出来たらいいですね）。

　少し背中を押せば宇都宮の若者たちの行動力とエネルギーは素晴らしいものがある，と思いました。次世代に火を付けるのは大人の役割です。そうやって作品のストックが増えていけば，日本中のあちこちの橋の下や小さな映画館での巡回上映や，場合によっては海外でも上映出来て「創造都市としての宇都宮」をアピール出来ます。そうした広がりが映画の魅力です。

1.7　LRTで映画を観に行こう：中心部にシネコンの誘致

　今後LRT（次世代型路面電車）によって市内の活性化が期待され，実現されてくると思いますが，LRTに乗って何をしに市内に行くのか，というのが少し疑問です。施設や店は古くなると興味を失わせますが，映画館というのは，いつもでも何かやってるし，定期的に内容が変わるので常に新しい求心力を持つコンテンツなのです。かつて宇都宮の中心部は映画館街でした。デパートと映画館というのが昭和の時代の元気な大通りの姿でした。映画を観た帰りに買い物や食事をいただく。そうした集客の構造は今も変わりませんし，池袋や新宿が今，シネコンを沢山作って街の再開発をしています。宇都宮でも街自体が大きなシネコンのようにいくつか映画館が出来るといいと思いますが，その中心にやっぱり象徴的なシネコンが欲しい。前々から二荒山神社の右脇の建物にシネコンを誘致していただけないかと思っていました。LRTに乗って映画を見に行く。メジャーな映画はシネコンで観て他の文化的な映画は周辺のミニシアターで観る。電車内で各映画館やミニシアターを横断したポイントなどを付けられるタウン地図を配布して，ポイントなど集

められると楽しいと思います。午前中と午後に映画を一本ずつ見ればお腹も減りますから，食事も街でとって貰う。そうした映画好きなお客さんの巡回によって街自体が活性化するのではないでしょうか。

【参考文献】
(2-1-1) 栃木県フィルムコミッション　https://www.tochigi-film.jp/
(2-1-2) 栃木県フィルム・コミッション　2021年ロケ実績
https://www.tochigi-film.jp/results/index.php?genre_id=1&sort=&city_id=&can_id
(2-1-3) 宇都宮まちづくり推進機構 (宇都宮市イエローフィッシュ)
https://www.machidukuri.org/yellowfish/

（鈴木智）

第2節　デザインと創造都市について

2.1　はじめに

　フリーペーパー「PUSH」は，栃木県のクリエイターたちを紹介する新たな試みとして，2017年に開始したプロジェクトである。2021年までは年に4回のペースで各回10,000部を発行し，少しずつではあるが市民の皆様に浸透しつつある。誌面に登場するのは，アーティストはもちろんのこと建築家，写真家，陶芸家，職人，カフェオーナーなど，創造することを生業としているクリエイターたちであり，そのジャンルは多岐に渡る。以下，創造都市宇都宮に向けて，主に，グラフィックデザインを中心に，デザイナーの役割，デザイナーの仕事，最後に，創造都市とデザインについて述べる。

2.2　フリーペーパー発行の意義

　フリーペーパー「PUSH」の一例を，写真2-2-1〜写真2-2-4に示した。体裁は，クリエイターの作品や活動の魅力をしっかりと表現できるよう，大きなタブロイド判を採用した。老若男女，有名無名に関わらず，私たちのアンテナを震わせたクリエイターを取り上げ，そのクリエイターが語る思いや作品が，これから何かを始めようとしている誰かの背中を押す。そんな連鎖がこの土地に暮らす人々の芸術や文化，美に対する意識を押し上げていくことを願っている。さらに，次世代の若者たちに「こんなにクリエイティブな仕事があるんだ」ということを知ってもうらこともも狙いである。

　この取材の中で，クリエイターたちが地域に対する考え方を語ってくれることがある。彼らが他のクリエイターたちとつながり，この土地ならではの新しいうねりを生み出そうとしている姿はとても高揚感があり可能性を感じるものだ。その身近にいる素晴らしいクリエイターの姿を見せ，将来の選択肢のひとつとして捉えることができれば，自分にも可能性があるのだと信じる力となる。すなわち，これは未来のクリエイターたちへ向けた情報発信の場でもあるといえる。

写真2-2-1　PUSH vol.11（2021年4月発行）

写真2-2-2　PUSH vol.11（2021年4月発行）

写真2-2-3　PUSH vol.12（2021年4月発行）

写真2-2-4　PUSH vol.12（2021年4月発行）

　この趣旨に賛同していただいた県内企業4社のサポーターの皆様には，感謝してもしきれない。さらに，設置に協力いただいた県内の美術館はじめ企業，店舗の皆様，手に取り一読していただいたみなさまにお礼申し上げたい。

　「PUSH」は当初から3年という期間をひとつの区切りとしていたため，現在は新たな形で皆様に届ける方法を模索している。

2.3　グラフィックデザインの役割

　クリエイターを取り上げる媒体はほかにも様々なものがある。新聞やタウン誌などの紙媒体，近年は知識共有のツールとしてSNSなどを使いWebを通じて個人の発信力も高まっている。良い悪いではなくそれぞれに役割が異なる。そんな中での「PUSH」がもつ役割は，視覚の力によるコミュニケーションと，情報の精度である。常にアンテナを張っているスタッフによる情報を，

多角的な視点を意識した編集会議を重ねることで，きちんとフィルターを通し，媒体の存在感を高めることを私たちは重視してきた。

　グラフィックデザインとは伝達である。Aというものが本来持っている魅力を最もAらしく，最短距離で見るものに理解させるのがデザインの力だ。作品や人物の魅力を最大限に引き出すデザインと構成，印象的な言葉を拾いながら，わかりやすく磨き上げた文章，一瞬を捉えた写真が放つ存在感。これら全てを誌面に注ぎ込んで「PUSH」が生まれる。その意識は最後まで貫き，読者との接点となる設置場所も美術館をはじめとした文化的な発信地に設定した。これらは，「PUSH」という媒体としての姿勢であり，仮にAがBだった場合は，また違った最短距離を探していくことになる。

2.4　グラフィックデザイナーの仕事とは
2.4.1　真のクリエイターが見ていることとは
　今や，特別なスキルを持たずとも誰もが簡単に写真や動画や文章を編集し発信することができる時代であり，プロとの境目は曖昧になりつつある。それでも社会は真のデザイナーを必要としている。プロの仕事との違いはどこにあるのだろうか。

　私は那須塩原市から東京のデザイン学校へ進学し，卒業間際に縁あって国内外で活躍するイラストレーターであり，当時日本でエアブラシを用いたイラストレーションの先駆者でもあった，ペドロ山下氏が主宰する山下秀男デザイン事務所へ入所した。そこでの私の仕事は雑誌のエディトリアルデザインやレコードジャケットなどのデザインだ。まだデザインはPCではなく手作業で行われていた時代，一流のクリエイターの下で，グラフィックデザインに対する考え方を徹底的に学ばせていただいた。

　そして，土曜日には仕事を抜きにしたデザインの勉強会があった。色紙を用いた色彩構成技術等多くの課題に取り組んだ。こうした鍛錬の積み重ねが，今の私のベースとなっている様な気がする。その後デザインプロダクションに移り，自動車メーカーのカタログや広告，スポーツ量販店のSP,電機メーカーのアートディレクションなどの仕事に携わってきた。

　デザインはただ文字や写真を並べて貼ればよいのではない。わずか0.5mm,

105％の拡大で印象が変わるということを，手仕事を通じて体感した。その言葉の意味，ひとつひとつの文字の特徴と並びを意識しながらデザインを定着していくのは今も変わらない。

　さらにデザインが保有するコミュニケーション力の重要性として，デザインは作品づくりではないため結果が全てであり，一人よがりでは作れないものであることや，デザインにあたり，顧客の課題を解決するために要望を聞き対話を重ねることなど，デザイナー人生の中でずっと持ち続けてきた大切なことはここでの経験が根底にある。デザイナーは競争社会であり結果主義である。求められる水準に達しない仕事は不誠実となる。したがって，納得するまでエンドレスで突き詰めるのが常だった。この点から考えると，この時代に終電の駅のホームに立っていたのはほとんどがデザイナーだったのではないかと思っているくらいである。

2.4.2　栃木県での仕事

　フリーのデザイナーとなり宇都宮の事務所へ拠点を移動した頃，カメラマンやコピーライター，建築家，そしてデザイナーである私でユニットを組み，住宅のブランディングや東京のデザイナーズホテルの仕事を手がけ始めた。

　長く携わってきた住宅ブランディングの一つにI工務店の仕事がある。I工務店には，I工務店ならではの施工力や素材のこだわりという魅力があった。確固たるブランドポジションの定着のために必要なのはデザインを含めた写真やキャッチコピー，ネーミングなど多岐に渡るため，クリエイティブ全般を任せてもらった。ターゲットに響く最大の魅力が何なのかは，本人たちも分かっていないことが多い。広告では魅力の核となる部分見つけ出し，受け手に共感させることが重要となる。ビジュアルには工務店の技量がわかるような住宅の見せ場となる部分を，精度の高い写真で見せることで全体の雰囲気を作り出し，集客につなげた。この結果，見学会には用意していた駐車場が足りなくなるくらいの人が訪れた。さらにはターゲットとする人物像への集客につながったことも以降の広告展開への自信となった。このデザインの一例を，写真2-2-5と写真2-2-6に示した。

　このデザインの仕事を通して私は，栃木県でもデザインへの反応があるのだ，

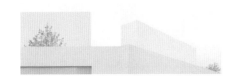

写真2-2-5　Ⅰ工務店チラシ　　　　　写真2-2-6　Ⅰ工務店 ブランドロゴ

写真2-2-7　洗剤ギフトパッケージ　　　写真2-2-8　クリーニングブランドロゴ

　という確信を得た。これはその後の大手クリーニング会社など多数のブラン
ディング (写真2-2-7, 写真2-2-8) や, 様々な地元企業のデザインの仕事に
関わらせて頂く評価に連なり, 2013年には法人を設立し, 現在に至っている。

2.5　創造都市とデザイン

　創造都市におけるデザインの役割とは, 広告の仕事同様にその土地が持つ
潜在的な魅力を見抜き, それらを活かしたり, 時に新しい何かと融合させた
りしながらブランドポジションを見つけ出し, 定着していくことである。
　たとえ風前の灯火である地域固有の文化や産業も, 発信方法やデザインを
見直すことでその新たな可能性を引き出すチャンスがある。こうした取り組
みを重ねた道の先に, 文化の多様性があり創造都市がある, と考えている。
　この点からは, 創造都市を作り上げていくとき, その魅力の伝達方法＝デ
ザインはとても重要なものとなることが分かる。地域が持つ素晴らしい文化

や芸術，まちづくりに取り組む人々，新しい文化施設，こうしたキャストが揃っても，社会へ向けて「最初に打つ一手」をうまく打たないと，全くその良さが伝えられないことになりかねないと感じている。

　この「最初の一手を打つ仕事」は我々クリエイターだけでは成功させることは出来ない。それは，決定権を持つ立場にある人が，個人の好みや主観だけで決めることが，往々にしてあるからである。クリエイターが本質的な魅力を見抜くための準備をするのと同様に，依頼する側にもその本質を理解するための勉強が必要であり，それはつまりデザインをジャッジする側の課題でもあると思うのだが。

（坂内雄二）

第3節 若者の起業

本節では，若者の挑戦が新たな力として，持続・循環する社会の実現に貢献し，これが地域の課題解決と活性化を加速し，地域に新たな価値を創出する，その現状と支援の方向について，その内容を論じる。

3.1 NPO法人とちぎユースサポーターズネットワーク

NPO法人とちぎユースサポーターズネットワークは，2010年より「若者の力を活かして地域の課題解決／活性化を加速すること」を使命とし，新たな力を必要としている地域社会の現場と成長意欲のある若者たちを結びつけ，地域に新たな価値を創出する支援を行っている。具体的には，地元の中小企業の新規事業や組織改善等の"次の一手"を現場にし，若者が成果・価値創出に挑む実践型インターンシップ事業，社会をより良くしたいアイデアを持ちながらも具現化の仕方が分からない若者を対象とした伴走型スタートアッププログラム「iDEA→NEXT」，若者に栃木の魅力的なヒト・コト・モノ・シゴトを繋げていくWEBメディア「あしかも。」，その他，各種地域ニーズを見出し，それを改善するプログラムや施策の開発・運営事業等を行っている。2010年から延37,515名の10代〜30代の若者に機会を提供し，延138,024時間を若者と共に地域で活動している。また，これらの事業を展開していく上で，協力者として，今までに延3,507名の方たちの力を借りて展開していることも当会の特徴となっている。

3.2 若者の特徴

本ネットワークがこれまでに関係し，支援してきた数多くの若者たちは，未来を見据えた意志を持ち，力強く歩み出している。故郷に戻り，地域活性化に取り組む者，実現したい景色や夢を見たいために起業した者。学び直しを行った者，新規で就農している者，大手企業に入社する者，教員・行政職に就く者，など本当に多岐にわたっている。このような多様な選択の背景に

は，若者自身が個人の価値観を重要視していることがあげられる。日ごろ関わる10代後半〜30代の若者たちを一括りにすることが難しいくらい価値観も多様となっている。

さて，この価値観を形成していく上で，彼ら若者を取りまく環境の影響は大きいと感じている。現場でのヒアリングをもとに，この傾向を整理すると，以下のように分析できる。

大学生たちは，地域社会に対して関心はあるものの，アルバイトや学業など，生活のためにしなければならないことが増えている。図2-3-1[2-3-1]にみられるように，世帯所得が減少傾向にあり，仕送り等実家からの支援が減り，学生は，経済的に脆弱な生活環境にある。一方で，図2-3-2[2-3-2]，図2-3-3にみられるように，近年減少傾向ではあるものの47.5%の学生が奨学金を受給し，生活費の約20%が奨学金で生活している。これらの状況は，社会貢献意欲があっても，生活するためにアルバイトをしなければならず，社会活動への時間の確保が難しいことによる。特に，これまで社会貢献活動では1日や合宿型などまとまった時間でプログラム提供をしてきたが，学生の状況からは，短い時間での関り方，また移動時間のないオンラインプログラムなどに展開する等の工夫が必要になっている。

Z世代と呼ばれているLINE，SNS等のデジタルネイティブ世代でもある彼らは，まずは情報収集して判断する傾向がある。"やってみたらわかるか

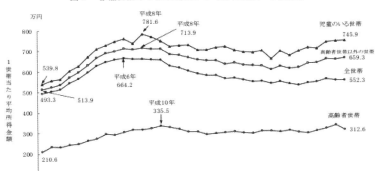

図2-3-1　各種世帯の1世帯当たり平均所得金額の年次推移
　出典：厚生労働省「国民生活基礎調査」(2019年)

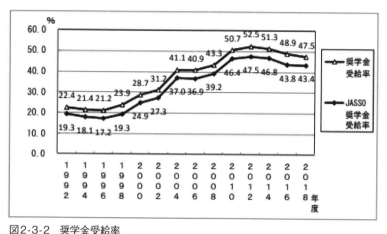

図2-3-2　奨学金受給率
出典：日本学生支援機構「学生生活調査」(2020年)

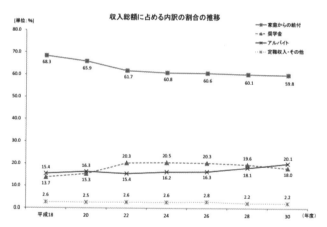

図2-3-3　収入総額に占める内訳の割合の推移
出典：日本学生支援機構「学生生活調査」(2020年)

らとりあえず来てみて”の誘い文句は，彼らたちの心を動かさない。前述で
も自由に使える時間が少なくなっている中で，事前の情報収集で，移動や対
面に時間をかける価値や期待を感じられるかがシビアな行動基準になってい
る。特に彼らの情報収集の媒体は，SNS（Instagram，Twitter，TikTok等）
活用の中でも，LINEを84％以上使っているとのデータもある[2-3-4]。これら
関係性ある情報媒体が中心であると，友達にならないと情報が入って来ない

という事情がある。このため，情報を得るためにも，友達であることがう重要となり，友達に嫌われないように空気を読み，SNSでは「鍵垢」（鍵アカウント：特定の人だけがコメントみることができる設定）など自分を使い分けることが行われている。私たちも実際に現場で，日々の関わりの中で，"意識が高いと思われるのでNPOで活動していることを友達に言わないでほしい"と言われたこともある。すなわち，強い安心・安全意識を求めていることも彼らの特徴と捉えられる。言葉ではチャレンジや挑戦が大事であること分っているが，事前に情報収集して考える行動特性もあり，分らないこと，予測できないことに恐怖を感じてしまうのであると考えられる。気持ちが乱れることにも抵抗があり，予測できないことに挑戦したとき，できない自分を感じたくない気持ちも強い。できない自分を感じてしまうと，自信がなくなり動けなくなってしまいそうな気がするという声も聞いている。

　さて，現在はキャリア教育の充実もあり，働くことについて考える機会は増えており，自分が望む将来選択をする学生もいる。一方で，何を大事にしているのか，何のために働くのか，がつかめず悩む若者もいる。その中でも，働く理由に「親を安心させたいから」という声をも少なくない。現場での関わりでは，大学入学直後から，大学卒業後に就職できるかを考え，不安になっている学生もいる。自分が何をしたいかなど，自己実現要素が強い学生もいるが，親を安心させたい想いで就職しなければ，と考えている学生も増えてきているように感じている。

　また，高校生までの授業の中で「新学習指導要領」の改定もあり，大学では，解を自ら導く「探求型学習」の推進が図られており，大学教育の中に，SDGs，地域や課題解決プログラムなど，学校の外に目を向ける機会が広がり，社会的な思考や関心が高まっているようにも思われる。この「探求学型習」への移行が，地域と関わることが授業として実施され，これまでボランティア活動などで補完してきた学生と地域の関りが変わってきているようにも感じている。学生にとっては，これまでのボランティアや社会貢献活動の価値の一つである「地域のリアリティ」や「非日常感」との接触への期待が，地域と関わる接着材の機能であった。しかし，すでに大学での授業で触れられており，これまでのような魅力は感じにくくなっていることも若者をとりまく

環境の一つと認識している。

3.3　起業の傾向

　2019年の中小企業白書では，起業の担い手として，起業家，起業を希望する者（起業希望者），起業の準備をする者（起業準備者）と分類し，数の推移を見ると2007年以降減少傾向になっている。他方，副業として起業する者や準備する者（副業起業希望者，副業起業準備者）は増加している。この起業準備者が起業する割合は，34.7％（2007年），40.4％（2012年），43.6％（2017年）と年々増加している。なお，年齢での起業率を見てみると，26歳〜39歳が高く，またこの傾向が増加している。

　2014年の中小企業白書[(2-3-5)]では，起業準備者の前に，「潜在的起業希望者」（潜在的起業希望者：起業を将来の選択肢の一つとして認識しているが，現時点では何ら準備をしていない者）を位置づけ，起業の準備に踏み切らない理由として以下の３つの内容が挙げられている。

　①「収入，やりがい，プライベートの面で現状に満足している」
　②「事業失敗時のリスクを考えると，起業に踏み出せない」
　③「周囲に自営業者や起業家がいないので，現実味がない」（特に，若者）

　この白書の中での提言では，「ハイリスク・ハイリターンな起業」ばかりでなく，「小さな起業」があるメッセージを伝えることも重要だと記載されている。同資料では，起業準備者（起業に向けて具体的な準備をしている者）において，そのきっかけを調査したところ，きっかけとしては，「働き口（収入）を得る必要」，「周囲の勧め・誘い」，「一緒に起業する仲間の存在」との理由が続く。また，合わせて直面している課題としては，「経営知識一般（財務・会計を含む）の習得（17.1％）」，「事業に必要な専門知識・技術の習得（16.3％）」の他，「資金調達」，「家族の理解・協力」，「家庭との両立」との項目も続いている。

　以上に述べたように，これらの傾向から，起業家を育んでいく上では，創業するにあたっての不安を解消し，その魅力や社会的意義を提供していくことが必要であり，このため，創業間もない経営者や創業支援機関などの取り組みと直接意見交換ができる支援プログラムを提供していくことが重要であ

ると考えられる。多様な層が日常的に集い、「違い」の接触により、アイデアやすべきことが見える、新たに見えていく創造や発見を価値として提供していくことも大事な点であると考えている。

3.4　若者の起業・挑戦を支える取り組み

本項では、若者の起業への挑戦をさせる取り組みについて代表例を紹介する。

(1) お寺がつくったコワーキングスペース"aret"

以上に述べてきた現状を踏まえ、2019年12月より、光琳寺（宇都宮市西原）と当会での協働事業「お寺がつくったコワーキングスペース"aret"」の開所運営を行ってきた内容を紹介する。"aret"とは、コワーキングスペース、シェアオフィス、イベントスペースとして利用可能な、地域のための拠点である。これを利用して、仕事、交流、学習、イベントになど、アイデア次第で、様々なことに利用できる。自らの世界を広げ、仲間を増やし、新しい世界を生み出すきっかけとなる場となることの願いを込めて運営を行っている。

写真2-3-1　お寺がつくったコワーキングスペース"aret"

(2) 若者の社会をよくするスタートアッププログラム「iDEA→NEXT」

　「iDEA→NEXT」とは,「地域の困りごとを解決したい」,「地元をもっと盛り上げたい」といった栃木の未来に繋がるアイデアを持った若者を,5か月間にわたって育む伴走型スタートアッププログラムである(図2-3-4)。学生から社会人を含む,アイデアや意欲を持った若者と課題解決を目指す地域の組織・企業との繋がりの輪を広げ,若者の力で地域の課題解決をしていくための活動をしている。このプログラムは,「社会に新しい価値(アイデア)を提供できる若者を数多く輩出し,地域の困りごとの解決や社会を良くする活動に取り組むことで,「栃木を,日本で一番ワクワクするアイデアや人材に溢れる元気な地域に創りあげたい」という想いから2012年に始まった。これまでに59組もの若き挑戦者を輩出しており,発酵食品の製造販売を行う会社「株式会社アグクル」の開業をした小泉泰英氏や,大田原市で空き家を活用し,高齢者と若者をつなぐ「一般社団法人えんがお」を設立した濱野将行氏など,その他に多くの本プログラムの卒業生も栃木県各地で現在活躍している。

　「iDEA→NEXT」が目指すものは,社会をよりよくしていく挑戦者を地域に送り出すことである。加えて,自分の想いを込めたアイデアを実現するという挑戦の中で協力者や仲間と共に仮説検証し,その挑戦の過程を見ている周りの人たちが,挑戦者の挑戦に触発されて新たな挑戦者となっていくことを目指しているプログラムである。さらに,プログラムを卒業した卒業生たちは各自自走しつつ,「iDEA→NEXT」で挑戦をする後輩たちの支援者となり支えていく,「挑戦が循環する社会」の実現である。

　一方で,現在,社会には取り組む課題が山積みである。例えば,進む少子高齢化,失われつつあるコミュニティ,空き家問題,育児への不安,フードロス,人間関係に起因する心の病,いじめ問題等,その他にも様々な課題が山積している。これらの多様で,多くの課題と向き合う社会においては,その突破口となる「正解」を誰ももっていない前提に立ち,今までにはない新しい考え方や手法が必要になる。ただ,そうは言っても,はじめから完璧なアイデアは存在しない。しかし,アイデアを形にする際に「本当にこれは自分にできるのだろうか」「いざやってみて失敗したらどうしよう」等の不安を

感じることは当然と受け止めて，不安を抱えながらも挑戦する若者たちを支え，挑戦が生まれやすい環境を創っていくことが強く求められる。このような現在の状況から今後も継続してこの「iDEA→NEXT」を続けていく。

3.5　若者の起業に必要なこと

今までに，Z世代と言われている多様な視点を持つ若者を中心に，これらの若者の特徴，起業の傾向，現在までに実施してきた取り組みを整理して述べてきた。

これらの結果を踏まえて，本稿のまとめの提案として，若者が起業していく上で大切なこととして私なりに整理して9項目を取り上げ，以下に述べる。

- ●必要とされる，期待されている実感があること
- ●創り上げたい景色を共感し，共に動く仲間がいること
- ●自分でなければいけない理由を掴んでいること
- ●学び続け，成長と変化をし続ける姿勢をもつこと
- ●助けを求められる力もそなえること
- ●関わる人をワクワクさせられる提案力をもつこと
- ●背景・構造を読み解き，「因数分解」できること
- ●愛情，敬意，感謝をもって人と関わり，違いをポジティブに受け止めら

図2-3-4　スタートアッププログラム「iDEA→NEXT」の概要

れること
●実現したい景色を信じきること，動くこと

3.6　まとめ
　若者が未来や社会の理想に近づけていけるよう，彼らの"したい"声を形や，時には事業として育み，支える取り組みを今までに行なってきた。この活動を通じてわかったことは，ありたい景色に挑み，着実に歩みを進めている若者たちの共通点は，「自身の活動アイデアが必要とされている実感」と「使命感」で掛け算された「覚悟」，自分でなければいけない，との理由，を持っていることが多いと感じたことである。私たち支える側からすると，この2つの要素を本人が掴むことができるようにすることが支援のカギになると思っている。とはいえ，これを掴むためには，単に声掛けでは足りず，実際に動いてみて若者たちから反応をもらい，喜びも悲しさも，悔しさも若者たちと共に共有していくことが重要になる。その気持ちの揺らぎが，人間としての成長につながるものと感じている。
　若者の起業を考える時，起業の結果が将来選択の一つであると同時に，自身がどうありたいのかという問いに対する答えの一つでもあると思っている。併せて，企業とは，一人一人が，自分も社会も，より豊かに，より幸せにしていける一つの手段であり，社会にHAPPYの総量を増やしていくことのできるライフスキルである，と起業を捉えていること注目できる。創造都市研究センターでの取り組みも，多くのクリエイティブな人材を育み，また人材を育むことができる街を創り出していく壮大な挑戦でもあり，若者に限らず様々な世代で未来に願いを込めて進めてきている。ここでの私たちの挑戦が，種となり，若者が力強く立ち上がることを「芽」と捉え，その若者たちからHAPPYを受けとった方たちが「実」となり，さらに，多くの「種」が巻かれ，幸せが循環する社会に実現にむけて，私もさらに頑張っていきたいと思っている。

【参考文献】
(2-3-1) H30年度学生生活調査結果，独立行政法人日本学生支援機構，2020年，
　　　https://www.mhlw.go.jp/toukei/saikin/hw/k-tyosa/k-tyosa19/dl/14.pdf

(2-3-2) H30年度学生生活調査結果，独立行政法人日本学生支援機構，2020年，
https://www.mhlw.go.jp/toukei/saikin/hw/k-tyosa/k-tyosa19/dl/14.pdf

(2-3-3) H30年度学生生活調査結果，独立行政法人日本学生支援機構，2020年，
https://www.mhlw.go.jp/toukei/saikin/hw/k-tyosa/k-tyosa19/dl/14.pdf

(2-3-4) SNS利用に関する調査【2022年版／学生対象】，TesTee Lab., https://lab.
testee.co/sns_student2022, 2022年（2023年3月13日アクセス）

(2-3-5) 中小企業白書 (2014)：https://www.chusho.meti.go.jp/pamflet/hakusyo/
H26/PDF/h26_pdf_mokuji.html

（岩井俊宗）

第4節　女性の活躍と起業

　創造都市実現に向けて，宇都宮市が発展，振興していくためには，起業に伴う多くの産業が活性化することが，地域の，そしてその都市の発展に連なっていくと考えている。そして，それを推進し，実現していくのは，優秀かつ多様な人材である。創造都市として発展していくためには，まずは，都市発展を企画し遂行していく人材育成が大切な方策となる。この観点からは，Z世代と言われる若者，さらに，女性活躍社会を訴求するわが国の政策，がキーとなる。本節では，数多くの女性起業支援経験を通して，女性活躍社会の一翼を担う一人として，自分自身の起業経験をベースに，現在までの地域での取り組みについて述べる。

4.1　女性の後押しに未来を見据え

　女性活躍推進法が2015年8月に施行されてから早6年が経過した。ひと昔前と比べれば女性を取り巻く環境は随分と変化してきたが，それでもまだ対等に活躍出来る場は限られているように感じる。

　そこで，活躍の場を得られぬならば，相応しい環境を自分で作ればよい，と筆者は考えた。そのような発想で女性達に「起業」という新たな選択肢を提案し，筆者自身も我が道を己の力で切り開いていく発想のもと，いくつか起業し，女性が社会と繋がり新たなアクションを起こす事で地域にどのような変化をもたらすのか？という実証実験を行った。その結果，終了する事を選んだ事業もあったが，代替とした新規事業を次々と生み出す取り組み自体は継続し，現在も順調に推移している。これらの行動が，女性起業家を数多く誕生させる意識改革に連なり，さらに，未来を見据えた

写真2-4-1　創業を志す女性達と地域の支援女性とを繋ぐ催し

有効なアクションとなることが期待でき，現在は，筆者は日々起業経験者や起業希望者達と伴走支援を通じて喜び・奮闘を分かち合う状態にある。この観点から，今後も同様に，地域社会の活性化に役立ち，女性アントレプレナーとして，地域の振興と女性人材の育成に向けて，女性の後押しによる起業支援活動を推進していくつもりである。

4.2　女性達が起業の先に見つめるもの

筆者は，女性による女性のための起業支援者として現在までに10年以上携わらせて頂いている。その中で，女性達が起業の理由として一番多く挙げているのが「社会の中に自分の役割や使命を見い出した上で，自分らしく生きていきたい」という想いである。社長という肩書やビジネスでの成功等という理由ではない

写真2-4-2　女性起業応援フェスタの開催の様子

方が大半なのです。「夫の稼ぎだけで生活出来ますし，子供も養えていますので，私が無理に働く必要はありません。でも私，このままではいけない気がしてならないのです。」といった声が筆者のもとに数多く寄せられています。このように多くの女性達が，社会の中で家庭とは違った居場所を模索し，社会との繋がりを望んでいると考えられます。これが女性たちがアントレプレナーシップを持って起業し，自分の役割や使命を見出しながら自分らしく生きようとするリアルであり，女性向けに開催する起業支援イベントやセミナーには，このような想いを持つたくさんの女性達が集結するのである。

4.3　起業に一番関心がある世代とは？

筆者は，宇都宮市で女性向けの起業セミナーを数多く開催している。この中で毎回一番多い参加者の世代が40代であり，次に多いのが50代と30代である。しかし，参加者の中では60代以上も珍しくない状況ではあるが，意外と少ないのは20代以下というアンケート結果が出ており，以下のような

写真2-4-3　創業を志す女性達と地域の支援女性とを繋ぐ催し

理由からであると想定される。

　結婚して周りから「奥さん」と呼ばれるようになり，子どもを持って「○○ちゃんのママ」と呼ばれるようになり，誰にも「自分の名前」を呼んで貰えなくなった日常の中で，私は何者なのか？何のために生きているのか？と漠然とした不安を抱えながら生きている既婚者たちである。

これは主に30代の子育て世代。子育てが一段落して，親の介護が始まる前に少しだけ自分の為の時間を持ちたい，と願うのは40代〜50代である。また，今までずっと家族優先に自分の人生を捧げてきたのだから，これからはようやく自分らしく好きなように生きてみたいと願うシニア世代である，と筆者は考える。これが，起業を通じて自分らしい人生に意識を向けるきっかけであり，その理由や想いは世代ごとに大きく異なるという事が明確である。

4.4　地域課題と女性の可能性

　以上に述べてきた，このような女性達の想いをこれからの社会作りに結び付けられるとしたら溢れるばかりの「無償のエネルギー」が集結されることが期待できる。女性達は社会的弱者と呼ばれる立場の方が男性よりも割合が圧倒的に多いことから，当事者として地域社会の問題に敏感であり，男性では目の行き届かない現場の声や状況を熟知していると感じている。また，一

写真2-4-4　創業を志す女性達と地域の支援女性とを繋ぐ催し

方で，女性達はコミュニティ形成が得意であり，力では男性に及ばない分，コミュニケーション能力を活かし情報交換を通じて生きる力を補って来たことが歴史的事実としてあると感じている。このことから，問題解決のために人を巻き込み，共感を生み出す能力に秀でている女性達が

男性社会に溶け込むことで，様々な社会的変革の可能性が生まれる。そして，女性の能力を活かす体制が整った地域・企業・団体・組織等は必ず発展する，とも筆者は信じている。したがって，今後地方都市の活性化に向け，創造都市の実現に向け，男女共にお互いの能力を尊重し合いながら，同じゴールを目指して共に歩む事例が各地で誕生することを期待し，宇都宮の各地で，わが国の地方地域で，この取り組みが継続して年々増加していくことを，筆者は願っている。

（浅野裕子）

第5節　宇都宮市の取り組み

　本節では，宇都宮市（以下「本市」という）の取り組みとして，うつのみや市政研究センター（以下「市政研究センター」という）におけるまちづくりと，産業政策課における起業支援の2つの取り組みについてその内容を紹介する。

5.1　宇都宮市市政研究センターの取り組みについて
5.1.1　はじめに

　宇都宮市創造都市研究センターは，宇都宮市内の5大学（参加大学：宇都宮共和大学，作新学院大学，文星芸術大学，帝京大学宇都宮キャンパス，協力校：宇都宮大学）が中心となり，宇都宮市や団体，企業，NPO法人とプラットフォームを形成し，大学間で連携を図りながら，地域活性化のための共同研究やシンポジウム，公開講座や研修会など数多くの事業を実施している。この活動により，本市の発展と地域を担う人材育成を目指して活動されていることに敬意を表したい。また，本市が毎年開催している「大学生によるまちづくり提案」事業においては，各大学から多くのチームに参加いただき，この場をお借りして感謝申し上げる。以下，市政研究センターの概要，行政と大学の連携，市政研究センターが中心となって推進しているまちづくりの活動について紹介する。

5.1.2　うつのみや市政研究センターについて

　市政研究センターは，2004年4月に設置された。本市においては，以前から市政運営上の課題として，庁内各部局では実際に発生している問題への対応に追われており，数年後に顕在化することが予想される課題などに対する政策形成が不足しているという危機感を持っていた。こうしたことから，行政課題について調査研究し，新たな時代に対応した政策提言を行う自治体シンクタンクとしてこの市政研究センターが組織化された。

　市政研究センターは，企画部門である総合政策部政策審議室の出先機関と

して位置付けられた組織である。この政策審議室は，政策を実現するために庁内各部局が実施する施策事業の調整や進行管理，また，庁内各部局と連携して差し迫った問題に対する施策立案が役割である。一方で，市政研究センターは目線を少し先に置き，基礎的・専門的な調査研究を行い，数年後に顕在化することが予想される課題の対応策などを提言することを役割としている。2021年度は本市正規職員3名を専任で配置するほか，修士号を有する2名の専門研究員を採用し，非常勤の所長には地元大学の名誉教授が就任している。

5.1.3　行政と大学との連携について

(1) 連携の必要性

　行政課題は複雑化・多様化しており，行政の力だけで解決するのは難しくなっている。そのため，行政で不足する資源を外部との連携によって補完する必要がある。とりわけ高度な知識や技術を持つ大学との連携は，都市間競争の真只中にある本市にとって必要不可欠となっている。さらに，大学はまちづくりを支える人材育成や，まちの賑わいづくりなど多面的な価値を有しており，大学の持つ様々な知的資産をまちづくりに有効活用することが行政に求められている。この意味から，まちづくりを進めるうえでの貴重な資源である大学が数多くある本市は大変環境に恵まれていると言える。

(2) 連携するメリット

　次に，行政と大学が連携するメリットについて考えられることを以下に述べる。

①行政側のメリット

- ●大学が持つ専門的知識・研究成果をまちづくりに活かすことができる。
- ●地域のしがらみや利権関係にとらわれないアイディアや意見が期待できる。
- ●若い学生の斬新なアイディアや行動力が期待できる。
- ●学生の存在が，地域の活性化に向けた「起爆剤」となることが期待できる。
- ●将来のまちづくりの担い手となる人材を育成できる。

●大学生がまちづくりに携わるきっかけをつくることができる。
②大学側のメリット
　●教員や学生の活動する場や機会が確保できる。
　●行政が持つ情報を入手できる。
　●大学の地域貢献をPRできる。
　●地域における大学のイメージを向上できる。

5.1.4　宇都宮市と市内大学との連携状況について

5.1.4.1　概要

　本市の様々な行政課題を解決するため，連携事業として，共同研究，委員会・審議会等への委員就任の他，大学教員や学生等の協力・支援を得ながら，多くのまちづくりに取り組んでいる。2020年度は186件の連携事業に取り組み，連携事業の形態としては「委員会・審議会等の委員」が115件と最も多い（表2-5-1）。次いで，「事業運営への支援」が25件，「共同研究・共同実施」と「研修等への講師派遣」が16件の順となっている。連携事業の件数は増加傾向にあったが，2020年度は大きく減少した（図2-5-1）。これは，新型コロナによるイベント等の中止に伴い，「事業運営への支援」の件数が減少したことが大きな理由である。

5.1.4.2　部局別の傾向

　本市の部局別では，教育委員会が55件（29.6％）と最も多い（表2-5-2）。次いで，環境部が27件（14.5％），総合政策部が21件（11.3％）の順となっている。また連携形態では，「委員会・審議会等の委員」が115件（61.8％）と他を引き離して最も多く，ほとんどの部局で広く活用されている。

表2-5-1　市内大学との連携状況（令和2年度）

形態	件数	割合
共同研究・共同実施	16	8.6％
委員会・審議会等の委員	115	61.8％
研修等への講師派遣	16	8.6％
事業運営への支援	25	13.4％
その他	14	7.5％
合計	186	100.0％

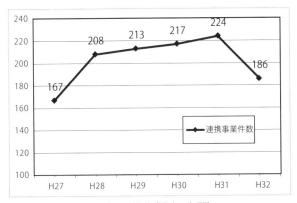

図2-5-1　連携事業件数の推移（過去5年間）

表2-5-2　部局別の連携形態（件数）

連携の形態 ＼ 部局	行政経営部	総合政策部	理財部	市民まちづくり部	保健福祉部	子ども部	環境部	経済部	建設部	都市整備部	上下水道局	教育委員会	国体・障害者スポーツ大会局	合計
共同研究・共同実施		4		2	2		1	1	1	1		4		16
委員会・審議会等の委員	15	2	2	10	11	2	18	8	6	9	2	30		115
研修等への講師派遣							5			1		10		16
事業運営の支援		8		1	3		3	1				9		25
その他		7			1			2	1			2	1	14
合計	15	21	2	13	17	2	27	12	8	11	2	55	1	186

5.1.5　大学生によるまちづくり提案について

　「大学生によるまちづくり提案」は，市政研究センターが実施している事業で，本市のまちづくりに大学生が参加できる場を提供し，大学生ならでは

の斬新なアイディアをまちづくりに活かすことを目的として実施している。2005年から実施しており，2020年度で16回目を迎えた。2020年度の提案テーマは「FANがつなげるFUNな街」とした。大学ではコロナ禍で授業もままならない中，12月の発表会には10団体が参加し，

写真2-5-1　まちづくり提案発表会の様子

それぞれの専門分野を活かした提案がなされた。

5.1.6　まとめ

　大学は地域の「知」の拠点であり，まちづくりを進めるうえでの貴重な資源である。更なる協力体制を構築していくことにより，本市の政策形成能力の向上や事業の充実を図ることが期待できる。今後とも，大学の協力を得ながら事業に取り組み，大学との連携によるまちづくりを推進していきたいと考えている。

（野澤幸雄）

5.2　宇都宮市の起業支援について

5.2.1　起業による地域経済へのインパクト

　近年，急激に変化する社会情勢や経済状況により，産業構造に大きな変革の波が起きている中，「起業」は新しい基幹産業を創出し，新たなサービスや価値を創出することに期待されている。「起業」については大きく2つに区分でき，まず地域に密着した起業（ここでは，「地域密着型起業」と呼ぶ）は，主に地域資源（自然資源のほか，地域に存在する特徴的で活用可能な物など）を活用し，地域住民の生活の充足や質の向上に寄与する。もうひとつは，地域に拘らず事業成長を目指す起業（ここでは，「スケール型起業」と呼ぶ）があり，地域における雇用の創出に，大きな役割を果たしている。

　このことから，「地域密着型起業」も「スケール型起業」のいずれの起業形態も，地域に好影響を与え，地域経済などの活性化に繋がっている。

5.2.2　成長ステージごとに支援

　起業にはいくつかの成長ステージがあり，起業支援を実施する場合には，それぞれのステージごとにニーズなどが異なることから，それらに沿った支援メニューが必要である。成長ステージは，一般的に「プレシード」，「シード」，「アーリー」，「ミドル」，「レイター」と呼ばれているが，これらのステージごとに，どのようなニーズ，どのような起業家が該当するのかの明確な定義はない。このため，宇都宮市では独自に成長ステージごとのニーズや対象

者を以下のように整理している。

●プレシード（起業アイデアの発想期）

⇒創業を思いついた時，創業のコンセプトやアイデアが出てきた段階

●シード（起業（創業）前・準備期）

⇒ビジネスアイデアやコンセプトを固める段階，市場調査，事業計画書作成，事業資金は自己資金や金融機関からの融資が中心

●アーリー（発展途上期）

⇒創業後5年以内で，売上2億円以下，従業員は数人程度

⇒人材確保やより大きな資金調達（ベンチャーキャピタル等）が必要になるなど様々な課題が山積

●ミドル（急成長期）

⇒創業年数は特に問わない，売上5億以上，従業員は20名以上で事業が軌道に乗って，世間的にも認知度が出始めた段階

⇒事業の急成長を図るため，より大きな資金調達を実施

●レイター（上場期）

⇒創業年数は特に問わない，売上30億以上，従業員は50名以上で，全国展開，海外展開，M＆A，新規事業立上げ段階

⇒海外進出や株式上場を視野に入れ，多角的な事業を展開

　このようなステージごとの支援の中で，特に，宇都宮市の役割は「プレシード」のさらに前の段階である「起業機運醸成」と，発展途上期の「アーリー」，急成長期の「ミドル」のステージにおいて「成長支援」を中心に実施しており，「起業機運醸成」においては，「アントレプレナーシップ」の醸成に注力している。

5.2.3　新事業を創造するために重要な「アントレプレナーシップ」

　一般的に，日本ではアントレプレナーシップは「起業家精神」と訳されることが多く，起業する人に特有の資質だと考えられている。しかしながら，経済学者のJ．A．シュンペーターは，「企業家の活動」をアントレプレナーシップと呼び，以下のように述べている[5-2-3-1] [5-2-3-2]。

●「資本主義社会における経済的変化のメカニズムは，企業家の活動を軸として機能する」

- ●「企業家の定義づける根拠とは，単に新しいことを行ったり，すでに行われたりしてきたことを新たな方法で行うということである」
- ●「企業者と呼ぶものは，新結合の遂行をみずからの機能とし，その遂行に当って能動的要素となるような経済主体のことである」
- ●「だれでも「新結合を遂行する」場合にのみ基本的に企業者」

つまり，「アントレプレナーシップ」は，困難に立ち向かい新しい事業を創造していく姿勢であり，あらゆる職業で求められる行動要素である。経済に変化を与えるが，歴史的な発明である必要はなく，単に人が考えもしなかった，あるいはやろうと思わなかったことに能動的に取り組むことであり，新しい組み合わせで新しいビジネスを創造することである。

5.2.4　不確実な時代におけるアントレプレナーシップの必要性

近年，日本でも新しい価値を生み出す思考や行動として，アントレプレナーシップの必要性が言われるようになり，新時代のリーダーに求められる資質として注目されている。この中で，大学では，経済・経営学部等を中心にアントレプレナーシップの授業が出来始めている。

その背景としては，社会，経済の急激な変化により「VUCA（ブーカ）」の時代になったためだと考えられている。「VUCA（ブーカ）」とは，Volatility（変動性），Uncertainty（不確実性），Complexity（複雑性），Ambiguity（曖昧性）の頭文字を並べた造語であり，1990年代後半にアメリカで軍事用語として発生したが，2010年代になってビジネス領域でも使われるようになった[5-2-4-1]。ICTの急速な進展により，世界の市場は不確実性や不透明性を増した状況となっており，予測困難で不安定なビジネスの状況を表している。

このような中で，企業がこれまでのビジネス展開だけではなく，新しい価値を創造し成長していくためには，新事業創出や新商品・新サービスの開発などに意欲的で，リスクにも挑戦していくマインドをもった人材，すなわち「アントレプレナーシップ」を持った人材が必要になってきた。この「アントレプレナーシップ」に必要なスキルや資質は，以下のようなものが考えられる。

【アントレプレナーシップに必要なスキルや資質】
- ●実現したい未来を考えながら，人々などのニーズを収集，あるいはその

ニーズを創造し，新サービスや新商品を創出と新規市場を開拓する創造
力
- 失敗しても立ち止まらず，前を向きながら大きな成功を追及していく推
進力
- 新しいものやアイデアなどを結び付け，これを遂行していくマネジメン
ト力
- 社会・経済状況の変化や技術革新のスピードが加速化している時代にお
いて，新しい情報や知識・ノウハウを常に学び続ける力

5.2.5　宇都宮市の起業支援の取組

全国の各自治体が，創業・起業支援に取り組んでいるが，先に述べた通り，
宇都宮市では，「起業機運醸成」と「成長支援」に注力している。その中で，
特徴的な事業として以下の3つを紹介する。

①起業家精神養成講座（起業の実際と理論）

この講座は，「起業機運醸成」に位置付け，自ら社会課題を発見し，周
囲のリソースや制限を超えて行動して新たな価値を生み出しながら，将来
の地域経済を牽引し，さらにはグローバル進出するようなアントレプレナー
シップあふれる産業人材の発掘・育成を行うため，大学生を中心とした若
年者を対象に，大学と連携して実施する講座である。

特徴としては，大学コンソーシアムとちぎに参画している大学の学生は
受講が可能であり，かつ，単位も取得できる仕組みとなっている。また，
カリキュラムも独特であり，学生が主体的に取り組むことができるように，
インプット講義は，ビジネス基礎として「会社・事業・価値とは何か，コ
ンセプトづくり，マーケティング，ターゲット設定，会計，資金調達，プ
レゼンテーション，マネジメントなどの基本的なもののみにし，自らアイ
デア作成を行うことに重点を置いている。更には，実際のベンチャー企業
の経営者からの実体験の講義も多く設定し，より多くの大人と接点を作っ
ている。その結果，これまでの受講生の中で大学に在籍中に起業し，現在
は資金調達にも成功している起業家が創出している。

②宇都宮ベンチャーズ

　この事業は，「成長支援」に位置付け，「アーリー」のステージで展開している。

　2002年9月に民間企業の経営者などで構成する起業家支援組織「宇都宮ベンチャーズ」を設立し，『常に成長を目指す起業家を支援し，宇都宮を牽引する経営者を育成する仕組みを作る』という理念を基に，平成15年3月にインキュベーション施設を開設し，現在は，インキュベーションオフィス8室，シェアオフィス14席で運営している。

　支援機能の最大の特徴は，「現経営者が未来の経営者を育成する」ことである。経営者を育成するためには，「成功も失敗も経験し，企業経営の本質を理解している」ことが重要であることから，民間企業の現経営者や税理士，公認会計士など6名が「運営委員」となって直接的に育成することである。ベンチャーズは，主には以下の支援を実施している（2023年3月1日現在）。

（1）入居企業個別カウンセリング

　起業初期は，企業によって置かれている状況・目指すステージがそれぞれ違っており，様々な問題・課題を抱えている。このため，入居企業の成長促進には，きめ細かい支援が必要となることから，経営上の課題などに対して実践的なアドバイスを行っている。

（2）交流サロン

　起業家や起業に興味・関心がある人を対象に，先輩経営者と気軽に語り合える場として定期的に開催している。このサロンは，参加者が主体となり，少人数で企業経営や自身の事業について，運営委員も含めて全員でディスカッションする。

　これらの支援の結果，これまでに卒業した企業は42社に達し，短期間での急成長や事業を全国展開しているなど，卒業後の生存率は約69％と全国的に見ても高い状況にある。

③宇都宮アクセラレータープログラム

　この事業は，「成長支援」に位置付け，「アーリー」から「ミドル」のステージにかけて展開している。社会課題の解決を目指しながら事業の拡大を図り，地域経済の活性化を目指す創業後数年程度の「ベンチャー企業」や新事業を

立ち上げる「第二創業」などに対して，約5か月間の短期間に個別メンタリングなどの伴走支援を集中的に実施し，事業の成長を加速させ，本市経済を牽引する企業へ成長させる支援である。特徴としては，宇都宮市外の企業も支援対象としており，域内に無いリソースを宇都宮市内に落とし込む仕組みも作っている。これまでの採択した企業の中で，事業拠点を宇都宮市内に移転させたことや，ベンチャーキャピタルからの出資，他の企業との協業開始など，様々な効果が出ているところである。

5.2.6　起業を促進させるための「創発」意識

多くの人が，起業はひとりで起こすものという考えをしていると思うが，実は，複数人でチームとなって起業する方法もある。チームでの起業は，1たす1は2ではなく，個々の能力や発想を掛け合わせ，新たな価値を生み出す可能性が高い。これからの宇都宮市の起業支援においては，「創発」を意識して様々な支援を今後も継続して実施していきたい。

【参考文献】
(5-2-3-1) J.A. シュンペーター，清成忠男訳『企業家とは何か』(1998)，東洋経済新聞社，pp.85～pp.108
(5-2-3-2) シュンペーター，塩野谷祐一・中山伊知郎・東畑精一訳『経済発展の理論（上）』(1977)，岩波書店，pp.159～pp.248
(5-2-4-1) 櫻井茂明「VUCAな時代に思う」(2022)『知能と情報』（日本知能情報ファジィ学会誌）Vol34，No1，pp.1

（鈴木健一）

第6節　宇都宮まちづくり推進機構の取り組み

6.1　宇都宮まちづくり推進機構の概要

　宇都宮の中心市街地は，都市の顔であり，これまで宇都宮の歴史と文化を生み出してきた舞台であるとともに，市民の心のふるさとです。しかしながら，モータリゼーションの進展に伴い市街地が拡大し，中心部での空き店舗の増加や歩行者通行量の減少などが進み，中心市街地の活性化は一刻の猶予も許されない緊急の課題となった。

　こうした課題に対応するため，1999年10月，公共と民間が一体となった組織として，「宇都宮まちづくり推進機構」が誕生した。2009年9月には「特定非営利活動法人」となり，宇都宮市長から「中心市街地活性化法」に基づく「中心市街地整備推進機構」としての指定を受け，不動産の保有や収益事業の実施など，より柔軟で自主的な活動が出来るようになった。特に，中心

図2-6-1　組織図

市街地を流れる釜川を活用した各種イベントの実施や清掃活動，歴史的建造物である大谷石蔵の保存活用等の取組は，地域の自発的なまちづくり活動に広がっており，居住者や来街者の安全性や快適性の向上にもつながっている。当機構の設立趣旨である「公共の持つ信頼性や民間の持つ経営力とネットワークを併せ持つまちづくりの中核組織として，魅力ある中心市街地の形成を図る」という使命のもと，中心市街地の賑わいと魅力の創出，次代のまちづくりを担う人材育成など，様々な事業を展開している。

6.2　宇都宮まちづくり推進機構の組織

本推進機構は，設立主旨に賛同いただいた企業・団体会員，賛助会員，そして，個人会員で構成されている。組織は，図2-6-1の組織図に示すように，3つの部会と2つの委員会で活動している。現在の組織は，企業・団体会員76名，賛助会員2名，個人会員72名（2021年6月時点）からなっている。

6.3　宇都宮まちづくり推進機構の主な事業と取り組み

（1）イエローフィッシュ（まちづくり交流センター）の管理・運営

イエローフィッシュは，宇都宮のまちづくりの研究や中心市街地の活性化に資する事業の場として，宇都宮まちづくり推進機構が宇都宮市からお借りし，管理・運営をしている施設である。この様子を写真2-6-1と写真2-6-2に示した。この施設は，宇都宮のまちづくりを研究し活動していくための場や，中心市街地の活性化に資する事業の場として有効に活用している。施設の概要は以下のとおりである。

写真2-6-1　イエローフィッシュ（外観）　　写真2-6-2　イエローフィッシュ（内部）

【施設概要】

住　　所　　宇都宮市江野町10-4

床面積　　　75平方メートル

設備等　　　トイレ，エアコン，流し台，Wi-Fi（Free）

備　　品　　テーブル（2人掛け×9台，3人掛け×2台），イス（24脚），スツール（10脚），65型ディスプレイ，HDMIケーブル，ホワイトボード，掃除機

時　　間　　午前9時～午後10時

(2) 中心市街地活性化アドバイザー事業

まちづくりに重要なことは，主体となるひとづくりにあると考えている。街なかを元気にしたいと考えている団体やグループの活動を支援するために，当機構が仲介者となり，まちづくりの専門家を無料でアドバイザーとして派遣している。

(3) 宮再発見事業

「まちづくりには歴史を知ることが何より重要である。」との認識から，宇都宮のさまざまな歴史を，市民はもとより宇都宮を訪れる観光客の皆様にも知っていただくことを念頭に活動を実施している。城下町であることを示す旧町名と江戸時代の城下絵図に着目して，現代と比較できる「宇都宮"江戸時代"歩き地図」（写真2-6-3）を制作し，宇都宮の古い町並みや歴史に想いをはせ本市への愛着を育む。また，宇都宮市の発展に尽力された方々にインタビューを行い「戦後発展"秘話"」として記録に残している（写真2-6-4）。

写真2-6-3　宇都宮"江戸時代"歩き地図

写真2-6-4　戦後発展"秘話"インタビュー

(4) LRTまちづくり

　宇都宮市は，将来にわたり持続的に発展していくために，将来の都市の姿として「ネットワーク型コンパクトシティ（連携・集約型都市）」を目指している。当機構では，ネットワークの要となる東西基幹公共交通LRT事業を推進するため，市民理解の促進，JR宇都宮駅西側への整備延伸，LRTによるまちづくりの研究等に取り組んでいる。

(5) ウォーカブルなまちづくり

　中心市街地の歩いて楽しいまちづくりを目指して，大学と連携し，自転車マナー調査研究，MaaS社会実験などに取り組んでいる。

(6) 通信インフラに関する調査研究

　スーパースマートシティやtotraの導入などICT/IoTの進展を踏まえ，街なかの快適性・利便性に寄与する通信インフラに関して調査し，情報を発信していく。

(7) オープンカフェ事業

　中心市街地での人の交流や憩いの場の提供を通して，新たな賑わいの創出や回遊性の向上を図ることを目的に，宇都宮オリオン通り商店会の協力を得ながら平成29年度より本格運用を開始している（写真2-6-5。参加店数36店舗〈2021.3.30現在〉）

(8) 泉町活性化プロジェクト

　泉町は全盛期には800店舗以上の飲食店が立ち並び県都随一の繁華街として賑わっていた。しかし，2018年3月に宇都宮大学が行った調査では，営業店舗が大幅に減少していることが分かった。今後のJR宇都宮駅東口の街開

写真2-6-5　まちなかオープンカフェ

写真2-6-6　泉町活性化プロジェクト

きやLRTのJR駅西側延伸に向けた検討など大規模プロジェクトが推進され，宇都宮が大きく変化する中，泉町の賑わいづくりは夜の中心市街地活性化の重要課題と考え，活性化に向けた取り組みを実施している（写真2-6-6）。

(9) 釜川を活かした事業

釜川は，全国初の二層構造の都市河川である。プロムナードの整備により宇都宮都心のオアシスとなった。四季を通して，にぎわい創出事業を展開し，市民の楽しみとなった春の「かまがわ川床桜まつり」，夏の小学生による「鮎のつかみ取り」，秋の「釜川源流ウォーキング」，冬の「イルミネーション」を実施している。また，釜川ふれあい広場では，公共空間活用の社会実験を行い新たなにぎわい創出にチャレンジしている。この様子を写真2-6-7に釜川活用事業として示した。

(10) イルミネーション事業

中心商店街と連携しながら，通りや街角，釜川などを色とりどりの光で彩ることで，冬の街なかの賑わいを創出するとともに，回遊性の向上を図ることを目的としている。実施にあたっては，関係者の皆様のご協力をいただく

写真2-6-7　釜川活用事業

写真2-6-8　釜川イルミネーション

とともに，多くの市民・企業の方から協賛金をいただき支えられている。宇都宮ならではの市民でつくる市民参加の事業として拡大していくことを目指している（写真2-6-8）。

(11) 大谷石蔵活用事業

かつて，宇都宮市の中心市街地に数多く見られた大谷石蔵も，近年，急速に失われつつある。大谷石蔵の建ち並ぶ風景は，宇都宮ならではの風景であり，長い年月に耐えて，独特の温もりと柔らかさを醸し出す大谷石蔵は，宇都宮の貴重なまちづくり資源であると言える。当機構では，この貴重な資源の保存及び活用を目的に，様々な活動を続けている。これらの様々な活動について，図2-6-2・図2-6-3，写真2-6-9に示した。

(12) 旧公益質屋活用事業

旧公益質屋の石蔵を保全活用するため，当機構が建物を所有し，レストラン事業者と連携しながら中心市街地の活性化に寄与している。2011年に営

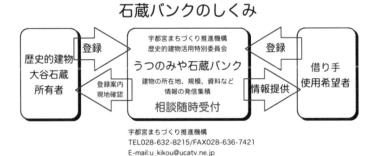

図2-6-2　石蔵バンクのしくみ

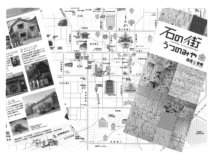

蔵マップ「旧鎌倉街道編ver1」

図2-6-3 「石の街　宇都宮　遺産と景観」

図2-6-4　アプリ版「石蔵まち歩きルートマップ」

写真2-6-9　大谷石フォーラム

写真2-6-10　レストランおしゃらく

業を開始したレストランは，写真2-6-10に示したように，"おしゃらく"として現在も営業している。

(13) 釜川美化活動

釜川プロムナードが中心市街地における市民の憩い・潤い空間となるよう市民とともに美化活動を実施している。ボランティアの協力を得て，四季折々に花が咲き，多くの人が楽しみながら散策する釜川プロムナードを目指し写真2-6-11に示すように，定期的な花植え活動や清掃活動を実施している。

写真2-6-11　釜川美化活動

6.4 創造都市研究センターへの参画

宇都宮まちづくり推進機構は創造都市実現を目的としたさまざまな街づくりに取り組んでいる。本稿では，このために実施している事業について以下に紹介する。

(1) イエローフィッシュによる活動事業

イエローフィッシュは，2002年に大学生のまちづくり活動を支援するため，「まちづくり交流センター」として開所した。施設の老朽化や活動の停滞などがみられたことから，2017年に大規模リニューアル工事を行った。また，同年に組織された創造都市研究センターに当機構も参画し，イエローフィッシュが活動の拠点に位置づけられている。改修にあたっては，内容や設備，運営方法などを総務部会で検討し，利便性の高い誰でも利用しやすい施設を目指した。2018年には設備の充実を行い，さらに施設を利用する際の利便性が向上している（写真2-6-12）。

写真2-6-12　イエローフィッシュ

写真2-6-13　イルミネーションの市民参加

(2) アドバイザー派遣事業

学生が取り組む「イルミネーション事業」（写真2-6-13）や「地域活性化イベント」（写真2-6-14）に，まちづくりの実践者を紹介し，企画の段階から運営まで幅広く助言・指導を行い，質の高い活性化事業の実施に寄与している。また，支援を受けた

写真2-6-14　学生の企画・制作作品

学生は，その経験を通してまちづくりの面白さを感じて，新たなまちづくりに取り組む意欲が高まっているようである。

(3) シティクエストプロジェクト事業

シティクエストは，学生が企画した事業であり，街なかの疑問をまち歩きゲーム形式で解いていくものである。回答には，関わりの高い市民の動画解説があり，楽しみながらまち歩きが出来る。当機構会員による解説も含めプロジェクトの連携が図られている。今後は，当機構で事業を継承し街の魅力の発信に繋げていく予定である。

(4) まちづくりシンポジウムの開催

創造都市研究センターと当機構は，都市の課題を共有し目標を同じくして，時機にあったテーマで様々なシンポジウムを開催している。

6.5　創造都市宇都宮に向けての取組

創造都市宇都宮を目指すためには，その主役となる人づくりが重要であり，積極的に学生や若者と協働しながら各種事業に取り組む必要がある。そのためにも，会員によるまちづくりの実践や研究を高めるとともに，創造都市研究センターと密なる連携を図り，次代を担う人材の育成に努めていく所存である。

（田邉義博）

第7節　トヨタウッドユーホーム株式会社の取り組み

7.1　はじめに

トヨタウッドユーホーム株式会社は，北関東を中心に事業展開しており，街づくり，住まいづくり，コミュニティづくりを行っている。当社の得意とする分野として，栃木県内を中心にこれまでも大規模な分譲地を数多く提供してきており，その内容を以下に論じる。

まず，分譲地を造成する時である。土地の大きさが一定の規模の分譲地になると分譲地内に新たに公園をつくり，道路を設ける。これらの公園や道路は分譲地の完成とともに行政に移管することとなる。また分譲地内に大きな道路が設けられることで地域住民のバイパスとなり利便性向上を生み出す。近年，住宅地と同時に大規模商業施設も誘致することで周囲の住民にも利便性を高める分譲地をつくってきた。これらのように我々のビジネスは，地域開発という視点で，公的役割の一部を担っていると自負している。

また，当社は単にハードをつくって終わりとするのではなく，その地域とのコミュニティを創出し，全て販売した後も住み続ける住人同士の潤滑油となる活動も積極的に行っている。大きな分譲地においては，自治会が発足されるまでの期間，当社が主体となって管理組合を設立，ここで円滑なコミュニケーションを形成するための準備を進め，自治会に引き継ぐケースも多々ある。

このようなプロセスを経て，最終的には，地図上に分譲地名や公園名の愛称が掲載され，記憶に残るビジネスとなることも多数ある。

7.2　トヨタウッドユーホームの生い立ち

当社は1969年3月に土地・建物売買業務を開始し，宇都宮産業開発株式会社が誕生した。当時は企業理念を掲げるまでの企業ではなく，まさに「街の不動産屋」といった個人商店に近い存在であった。やがて1975年10月に現在取締役会長である中津正修が入社し，現在で言う社内ベンチャーのごと

く新たに建築部を創設したことが，この後の企業発展に大きく寄与した。中津の年代が団塊世代にあったことから，自らが欲しいものをつくることがボリュームゾーンである団塊世代からも高く評価され，次々と商品化を進め，発展してきた。当社は，他社を追随することなく，自らの探究心で様々なビジネスモデルを確立し，事業展開を進め業界を牽引してた，と思っている。

　やがて中津が1992年に代表取締役社長に就任し，この年に2×4パネル生産工場となる今市工場を開設，1994年には現在のショールームの先駆けとなる「プラザ21（現すまいるプラザ）」という新しい概念の施設を設け，積極的に設備投資を行った。この一方で，1994年10月には，東京証券取引所市場第2部にダイレクト上場を果たしている。大手グループ企業の子会社ではない企業のダイレクト2部上場，北関東以北における住宅業界の上場，これらは当社が初めてのケースとなり，様々なメディアに数多く取り上げられてきた。この話題は広がり，米国の経済誌『Forbes』にも取り上げられる程になり，わが国の発展と地方都市宇都宮の発展にも貢献できたとも思っている。

7.3　企業理念の変化

7.3.1　宇都宮産業開発株式会社の理念

　創業以来，宇都宮産業開発として約20年の年月は，創業期と成長期に位置し，着実に業績を積み上げてきた。この時点において当社が求めるものは，まずは企業が社会的存在として認めてもらうことであり，そこで「創造と信頼」を企業理念に掲げ，お客さまとの信頼を築きながら，必死に企業規模を拡大させて，現在に至っている。

7.3.2　株式会社ユーエスケーの理念

　1988年11月に社名をユーエスケーと変更し，「豊かな生活空間の創造」を企業理念として掲げた。豊かな生活とは4つあり，個人生活，家庭生活，企業生活，そして社会生活であり，どれひとつ欠けても幸せになれない。この4つの生活は当時のユーエスケーの企業ロゴにも，反映されていた。この期間はまさに成長期と言うにふさわしく，業績を一気に拡大できることとなった。「自然と情報の調和」をコンセプトとした大規模分譲地「戸祭グリーンヒ

ル」はこの理念の象徴にふさわしく，これまでの企業文化が大きく変化した時代でもあった。さて，1994年に2部上場を果たすと，株主を始め，様々なステークホルダーに対する説明責任が生じ，これに付随する形でトヨタウッドユーホームは，「有言実行」という企業理念に置き換えられた。

7.3.3　トヨタウッドユーホーム株式会社の理念

1998年10月には次のフェーズへと移行し，社名変更と同時に，「顧客至上主義」を企業理念として掲げることとなった。家は売ってしまえば終わりではなく，売って引き渡してからがお付き合いのスタートという信念で，お客さまと長年お付き合いしていく責務を持って取組んできた。一見お客さまの要望を全て聞くというように捉えられますが，本質としては，住宅不動産分野のプロとして，将来のお客さまの生活スタイル等を踏まえ，お客様の視点に立ってより良い提案をさせていただくということが適切な表現となる。この時期は当社の歴史からすると安定期であり，異文化との融合という大きな流れもあるが，安定期は長く続くことはなく，今日を迎えている。これより当社は変革期を迎え，時代の変化を読み，自ら変化を起こし，変化に対応していくべき時期に突入していくことになる。

7.4　街づくり事業の基本方針

ジャン・ジオノ著『木を植えた男』という作品がある。荒廃した土地にある男が来る日も来る日も黙々と苗を植え続けている。旅人がしばらくしてこの地に戻ると森となっていた。森の奥ではまだこの老人が苗を植え続けている。森は広がり，水路ができ，水が溜まりやがて水場となり，旅人が水を求めて集まり，旅人が集まると市場ができ，やがて街ができてくる。人は欲しいものを求めて集まってくるというストーリーで，我々の街づくりとも類似している。つまり「誰もが住みたいと思う街をつくる」ことが我々の使命である。また当社の街づくりは，住宅だけに快適性を追求しても，一歩外に足を踏み出した時，その住宅の周辺エリアも環境の整った地域とならなければ，意味が無いと感じている。すなわち，潤いのあるコミュニティづくりが街づくりの第一歩であると考えに至った。

7.5　時代の変化をとらえた街づくりのコンセプト

　街づくりのコンセプトは，時代の変遷とともに様々な変化を遂げてきた，と思っている。本稿では，時代の変化をとらえたまちづくりの観点から，代表される分譲地をご紹介する。大規模な分譲地，つまり多くの人に求められる街を生み出すことが，企業文化も変えていくことに繋がることを幾度となく体験してきた。以下，この内容について述べる。

7.5.1　新しい住宅業界の先駆け「戸祭グリーンヒル」

　まず，1987年に分譲を開始した「戸祭グリーンヒル」(343,000㎡　685区画)を紹介する。なお，この開発地は，優良な分譲地として現在に至っている。この背景には，あらかじめこの地区と行政の間に緑化協定を結び，お客さまのお住まいになる敷地の中にも，ある一定の比率で緑化を設けてもらうルールを事前に自治体と締結した。このことが背景にあり，今現在でも緑潤う街並みが形成されていることに連なっている。

　また特徴として，分譲地内に新設したメイン道路は，地域の核となる競輪場通りと長岡街道を結ぶバイパスとなり，地域の利便性向上に大きな影響を与えていることがあげられる。それは，このメイン通りを直線で結ぶのではなく，弧を描くような曲線道路とすることで，この道路を走る際，街並みの美しさが感じられるランドスケイプアーキテクチャーの観点による設計としたことである。その曲線に沿って街並みを形成する個々の住宅があり，この地形が緩やかな丘となっていることから，立ち並ぶ街並みの西側に日光連山を眺められる絶景ポイントとなっている。年間を通じ，季節毎の四季を感じられ感性に刺激を与えてくれる分譲地となってきた。完成当時はバブル期であったことから，皆が憧れる「宇都宮の田園調布」と言われ高級住宅街の一つとなっていた。単なる土地開発とすることなく，当社の街づくりに対する思いが込められた分譲地であったからこそ，今でも評価される分譲地となっている。

　また，当時この分譲地が先駆けとなり全戸に装備された機能も紹介したい。当分譲地のコンセプトとして「自然と情報との調和」を唱っており，電話回

線を活用した情報掲示板「USK-NET（ユーエスケーネット）」をオリジナル商品としても開発した。当商品は回覧板のない街と言われ，さらには地域情報も取得できる機能を備えており，現在におけるインターネットを先取りした取組みでもあったと思っている。この情報掲示板は，カラー液晶画面，タッチパネル，さらにはスクロール機能も備え，家電メーカーによるOEM生産で実現した商品で，カメラ付きインターホンや電話・FAX機能も備えている。また共同受信システムの導入によるアンテナのない美しい街並みを維持できていることも特徴である。さらにはホームオートメーションシステムとして，照明，エアコンの機器制御機能があり，ホームセキュリティーの導入もあり，これにより団地ぐるみの防犯，防災システムの整備も同時に行われ，先進的な分譲地として話題になっていた。。

7.5.2　これまで以上の付加価値を創出する「陽東桜が丘」

　我々が再開発を行う際には，これまでこの地が創り出してきた効果を上回る開発をしていくことを使命として行っている。これは，今まで地域を支えてきた古き良きものを壊すのではなく，新しいものを加え，受け継ぎ，伝えていくためである。

　この陽東桜ケ丘の土地は，1971年6月に日本製鋼所と米国シンガー社が協同出資する形で再編されてシンガー日鋼株式会社と改称した会社のあと地である。この会社は，以前パインミシン製造が参画した国産ミシンの品質が評価された結果，これが米国製ミシンを凌駕するようになり，1960年代末までには名実共に世界一の地位を確立するに至って設立された会社である。この生産工場が宇都宮工場であり，従業員330名が働き，大きな経済効果を生んでいた土地であった。また工場内の敷地には桜の大木もあり，桜の開花時期には地域に開放するなど，地域に根差した企業であった。

　さて，このシンガー日鋼宇都宮工場の跡地を開発するにあたっては，宇都宮駅東口は大きな商業施設がほとんどない状況であることに着目し，再開発エリアの約6割を商業エリアに，残り4割を住宅エリアとした。この「陽東桜が丘」と「ベルモール」が完成することで，この商業施設で多くの宇都宮地区の大きな経済効果をもたらし，この施設で働く社員やパート等の労働効

果も生み出すこととなった。なお，これらの伝統を継承する意味で桜の苗木を植樹し，分譲地内の公園の名称にこの地の遺伝子を継承するため「パイン公園」と名付けた活動，さらにガス灯による風情の演出等を行ってきた。また当分譲地は，宇都宮駅から約2.5キロの距離に位置することから，人気のある分譲地となることが期待されていた。しかし，当社の中津が住宅協会の会長を務めていたことから，企業という概念にとらわれずに，分譲地の一部を競合ともなる他の住宅メーカーにも土地を提供し，お客さまの選択を広げ，社会的存在として地域に貢献できる街づくりを行うことができたと思っている。

7.5.3　3つのきょうせい「みずほの緑の郷」

「みずほの緑の郷」は，写真2-7-1に示しているが，宇都宮市南東部に位置し588区画の分譲地である。そもそもこの地は市街化調整区域にあり，一面にうっそうと生い茂る雑木林の土地でした。隣接に小学校があるものの，危険な雑木林を避け迂回して登校するような場所であった。この手入れの行き届かない雑木林の木々は光合成も起きず，本来の木の役割を果たせず死んでしまっている木々が大半であった。そこで専門家の力をお借りし，木々を残すべき木と切り倒す木を選別してもらい，同時にこれらの木々の実であるどんぐりの種を一つひとつ拾い，このどんぐりを近くの農家さんに依頼し，背丈50センチほどの苗に育てあげました。この苗を分譲地に入居する皆さまに配付し庭に植えてもらう活動を行ってきた。このことは，そもそもこの地域で育ってきた木々の遺伝子を継承することとなり，歴史を継ぐ分譲地となり多くの共感が生まれることとなった，と思っている。

写真2-7-1　みずほの緑の郷航空写真

　またこの分譲地内の中央部には，選定した木々を残したセントラルパークを設け，これに隣接する形で既存の幼稚園と新たな高齢者福祉施設を設けた。さらには一部地権者である住民が居たこと等から，「自然との共生」，「ジェネレーションの共棲」，「新旧住民の共成」を掲げ，「3

つのきょうせい」をコンセプトとした分譲地とした。街の地域では，各種イベント等を行い，コミュニケーションを育みながらの豊かな街づくりとなった。

　なお，当分譲地においても他の住宅メーカーに土地を譲渡し，様々な住宅が立ち並ぶ，住宅地として美しい街並みを形成してきて現在に至っている。また，できるだけ十字路となる交差点をＴ字路とすることで優先道路をわかりやすくすること，分譲地の中央部を大きく囲う形で道幅３メートルの自歩道を設けること等で通勤・通学も安全に行え，交通事故を未然に防ぎ，ジョギング等も楽しめる周回道路となる工夫もした。この街づくりに関わるイベント等においては，特定非営利活動法人宇都宮まちづくり市民工房との連携を強化し，このことにより地域住民との交流を深めていくことができた。

7.5.4　時間軸による街づくり「虹色のマチ　TAMAMURA」

　群馬県玉村町が民間活力の導入を目的に公募した「玉村町文化センター周辺土地区画整理事業」において，「保留地および町有地に係る事業者」に当社が選考された。これまで群馬県内で大規模な分譲地は数少なく，ここ「虹色のマチ　TAMAMURA」の街づくりは様々な分野の方々からも高い評価を得てきた。偶然にもこの分譲地に隣接するように歴史資料館が整備されていた。当時の都，奈良から延びる東山道が玉村町の中央部を通っていたことから，古くより交通の名所であったことが推察できる。そこで当分譲地のある玉村町にスポットをあて，過去，現在，未来を軸にした街づくりを行うことで，歴史を継承していきたいと考えている。この玉村町のプロモーションには，「玉村物語」と称し，過去の土地の歴史を紐解き，その延長線上に現在地域で活躍する人を取り上げ，未来の夢を描きながら街づくりを行っている様子を描いている。このエリアは，当社としても初めて進出するエリアであったが，地域との連携することにより，スムーズな取組みが行われることとなった。

7.5.5　すべての世代の楽園となる「楽園の森ひととのやヴィレッジ」

　「楽園の森ひととのやヴィレッジ」は，旧KDDIの社宅跡地の再開発として行った。このヴィレッジの土地は，粟宮新都市構想のエリア内にあり，粟宮地区及びその周辺一帯の地域は，幹線道路の整備を始め，新小山市民病院

と緑の健康づくりの森や新小山消防署，新小山警察署が進出し，また，小山外環状線が位置づけされている地域である。周辺には，ゴルフ場やテニスコートも隣接し，アクティブに活動する世代や既存の池もそのまま調整池として活用しゆとりのある生活を送れる空間としている。なお，20・30代の子育て，40・50代の健康，60・70代の趣味など，すべての世代に対して「楽園」と思える街をコンセプトとして設定した。やはりこの地も，由緒ある場所であり，地盤が安定し，安心して生活できるエリアである。この場所を開発する中で，今まで事業活動してきた以上の付加価値をつくらなければならないというのが我々の使命と考えて，現在街づくりを行っているところである。

7.6　新しい時代を拓く生活産業
7.6.1　現在の課題

　戦後から発展してきた住宅の概念が変わり，住宅に求められるものが刻一刻と変化している。かつては住宅が資産として高く評価され，ステイタスの一つでもありました。しかし最近では，地震，台風などの自然災害から，生活財産を守る意識が強まってきている。

　令和という新しい時代となり，新型コロナウイルスの感染症が拡大し，これに伴い，自宅に滞在する時間が長くなってきた。この時代の変化に伴い，そこで浮き彫りになった価値観の変化に対応することが求められてきた。今までは，日本の住宅は，予測できない地震や水害などの課題を克服しようと進化を続けてきました。しかし，感染症という新たな課題が出てきたことにより，住まいにおける大きな転換点が生じてきたと思っている。今回のテレワークの動きによって，ファーストプレイス（家）とセカンドプレイス（職場）を一緒にしようという取り組みがある，しかし，人が集まるリビングでは仕事の対応ができない事態となり，現在の日本の住宅ではそれが難しいことがと分かってきた。かつて，阪神淡路大震災をきっかけに耐震強度を高めたときと同じように，住宅の概念として，テレワークのための新しい機能を住宅に取り入れなければならない状況が生まれてきた。

　また現在，住宅の中で起きる死亡事故も多く存在している。急性疾患で死亡に至るケースが約7万人となっている。特に栃木県においては，部屋毎の

寒暖差の激しさから生じるヒートショックにより，死亡するケースも多く起きている。センシング技術により時間との勝負の疾病を解決していくことも必要なことと感じている。このためには生活データからの生活をケアするアルゴリズム開発も必要不可欠なものと思う。

7.6.2　地域が輝く生活環境への挑戦

当然，住宅ばかりでなく，一歩外に出たときには街のあり方にも変化が必要となる。

イギリスであればパブ，フランスやイタリアであればカフェ，日本であれば昔は銭湯，現在で例えれば居酒屋なのかも知れない。これらは市民の憩いと交流の場であることが証明されている。しかし，この空間が新型コロナウイルスの感染防止により閉鎖されたことで様々な問題が生じてきたのも事実である。こうした事態からも新型コロナウイルスをファーストプレイスに持ち込まない工夫が必要となる。都市あるいは地域におけるサードプレイスのあり方も考える時期なのかも知れない。

7.6.3　地域の歴史，文化を生かす生活環境の創造

日本の街，都市は戦後復興の中で，無秩序に開発されてきた。そのため街，都市としての思想や文化も育ってきていないことも事実である。宇都宮市内を見渡しても，これまでスクラップ＆ビルドにより歴史のある建築物，さらには風情のある空間を根こそぎ否定し，再開発を行ってきた。今後は，後世に地域の歴史を学ぶ機会を与え，文化を継承していく取り組みがとても重要であると感じており，その一端を次に述べる。

まずは我々が日常で目にするデザインを統一し，空虚な張りぼての世界を見直すタイミングであると考える。地域においてもグローバルな視点が求められる一方で，そもそも存在する地域の伝統文化を大切にすることが重要となる。例えば，イタリアのフィウミチーノ空港は，愛称レオナルド・ダ・ヴィンチ国際空港と呼ばれ，ローマの玄関口となっている。ローマを代表するダ・ヴィンチのオブジェも飾られています。空港を始め，鉄道の駅などの玄関口は，その都市を象徴するような歴史や文化を理解できる視覚的なシンボルが

必要であると考える。訪れてくる来訪者ばかりでなく，その地に住む市民にも意識を醸成することが大切であると思っている。

7.7　まとめ

新型コロナウイルス感染症というパンデミックにより人類にとって大きな変化が起こり，住宅業界も変わらざるを得ないと感じている。その中で，従来の発想だけではなく，全く違った発想を持つことの必要に迫られている。人類が危機的な状況に陥ったときに，大きなイノベーションが起きているのは，歴史が証明しているところである。

都市づくりでも，東京一極集中や，デジタル化が画期的に動き出す中，地方都市の機能がどう変化するかを考えなければならない。私も宇都宮東高校を卒業し，都内の大学にあこがれ，入学したが現在も若い世代が，刺激や仕事を求めて東京に行ってしまっているのが現実である。地域地方でどうすれば良いかを考えたときに，早急に地方都市の見直しが必要となるものと考える。これまでのように東京に倣った街づくりでは魅力は薄れる一方であると感じている。むしろ原点に戻り，その地方の歴史や文化を活かし，魅力ある都市づくりを行うことが，創造都市として評価され，若い世代からリタイア世代まで暮らしやすい都市へと進化することができると考えている。

最後に，地域の文化に連動したデザインで統一感を図り，細部にわたる景観を取りまとめる役割を成す「とちぎデザインセンター」の創設を提案した。これこそが，いまこそ必要なタイミングであろうと考える。この創設が，生活文化を高め創造都市を切り開き，維持するための仕掛けになるであろうと考えている。

【参考文献】
(2-7-1) 鶴蒔靖夫 (1997)『街づくりの未来派戦略』IN 通信社

（堀江則行）

第8節　宇都宮商工会議所の取り組み

　本節では，宇都宮の中小企業の現状と宇都宮商工会議所の取組みについて述べる。

8.1　宇都宮の中小企業の現状について

8.1.1　全国・栃木県・宇都宮市の企業数

　表2-8-1によると，宇都宮市内の全企業における中小企業の割合は，99.6％（うち小規模企業83.7％）である。この数値は，全国の中小企業の割合，99.7％（うち小規模企業84.9％），栃木県の中小企業の割合，99.8％（うち小規模企業87.5％）とほぼ変わらない。このように地域経済の原動力である中小企業は，持続的な経済発展や社会経済環境の変化に対応しながら，今日の本市経済発展に大きく貢献してきた。

8.1.2　宇都宮市の産業割合別構成の事業所数推移

　宇都宮市には，栃木県内事業所の24.4％を占める約21,000事業所がある。図2-8-1の産業割合別構成をみると，小売業・卸売業・サービス業等が属する第3次産業が84.77％，製造業・建設業等が属する第2次産業が14.87％，農業・林業が属する第1次産業は僅かに0.36％となっている。

　第3次産業が占める割合は，全国・栃木県を上回る割合となっているが，その理由としては，栃木県の中心的な都市であるとともに県庁所在地であるため，卸売・小売業，サービス業等のほか，公務の割合も高いためと考えら

表2-8-1　全国・栃木県・宇都宮市の企業数

	全国	構成比	栃木県	構成比	宇都宮市	構成比
大企業	11,157	0.3%	99	0.2%	50	0.4%
中小企業	3,578,176	99.7%	60,058	99.8%	13,828	99.6%
うち小規模	(3,048,390)	(84.9%)	(52,610)	(87.5%)	(11,609)	(83.7%)
合　計	3,589,333	100%	60,157	100%	13,878	100%

資料：中小企業庁　都道府県・大都市別企業集，常用雇用者数，従業者数（民営，非一次産業，2016年）及び市区町村別企業数（民営，非第一次産業，2016年）

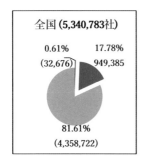
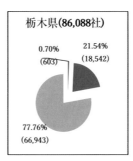

図2-8-1　全国・栃木県・宇都宮市の産業割合別構成
　　　　■第1次産業　■第2次産業　■第3次産業
　　資料：平成28年度経済センサス活動調査（総務省統計局）を参考に作成

れる。

　一方で，第1次産業においては，主要な農産物としてイチゴやトマト等が
あり，第2次産業においては，主要な生産品として食料品，輸送用機械等が
あるが，いずれの産業も全国・栃木県を下回る割合となっている。

8.1.3　全国・栃木県・宇都宮市の事業所数・従業者数の推移

　宇都宮市の事業所数（図2-8-2）・従業者数（図2-8-3）は，2009年のリーマ
ンショック以降，3年間で大きく減少し，その後はほぼ横ばいで推移している。

表2-8-2　全国・栃木県・宇都宮市の事業所数と従業者数

	全国	栃木県	宇都宮市
事業所数	5,340,783	86,088	21,906
事業者数	56,872,826	878,756	241,408

資料：中小企業庁　都道府県・大都市別企業数，常用雇用者数，従業者数（民営，非一
次産業，2016年）及び市区町村別企業数（民営，非第一次産業，2016年）を参考に作成

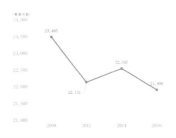
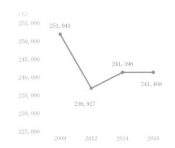

図2-8-2　宇都宮市の事業所数の推移　　図2-8-3　宇都宮市の従業者数の推移
　　　　　　　　　　　　　　　　　　　　資料：平成28年経済センサス活動調査
　　　　　　　　　　　　　　　　　　　　（総務省統計局）を参考に作成

8.2 宇都宮商工会議所の取組みについて

8.2.1 商工会議所とは何か

宇都宮商工会議所は，1893年に創立し，現在は商工会議所法に基づく特別認可法人として，また地域商工業の振興発展と社会福祉の増進を図る唯一の地域総合経済団体として今日に至っている。主な活動内容は，次のとおりである。

(活動1)中小企業や地域経済の実態を踏まえた政策提言・要望をとりまとめて国・地方自治体等に働きかける。

(活動2)経営環境の変化に応じた中小企業の経営基盤(ヒト，モノ，カネ，情報等)の強化を図るため，各支援機関等と連携を図りながら，経営課題解決のためのサポートをしている。

(活動3)行政や地域団体等との連携を図り，地域経済の活性化に取り組んでいる。

8.2.2 具体的な事業者支援と地域経済活性化

宇都宮商工会議所では，「企業活力の強化」を図るため，職員による企業巡回訪問や窓口相談時に中小企業者等が抱える経営課題など現場のタイムリーな情報を収集・把握し，直面する経営課題の解決を支援している。さらに，必要に応じて外部専門家や関係機関との連携による各種支援施策を積極的に活用するための支援体制の強化にも努めている。

また，「地域経済の活性化」を図るため，中心市街地・地域商業の活性化や商店街活動への支援，観光振興と地域ブランド力の強化，販路開拓・拡大，ひとづくり，雇用促進等についても幅広く支援しているが，ここでは特に，商工会議所の事業者支援について説明する。

(1)宇都宮商工会議所の事業者支援

当商工会議所における事業者支援は，「商工会及び商工会議所による小規模事業者の支援に関する法律」(小規模事業者支援法)(平成5年制定，平成26年第一次改正，令和元年第二次改正)に基づき実施されている。小規模事業者支援法に基づく「基本指針」に即して実施する小規模事業者の経営の改善発達を支援する事業を「経営改善普及事業」とし，その経営改善普及事業

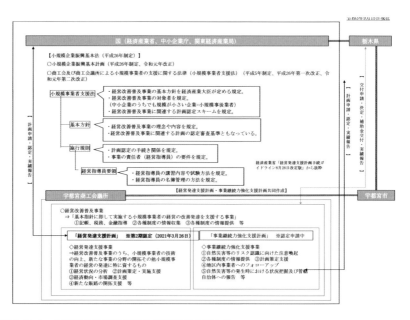

図2-8-4　小規模企業者支援法と支援事業の関わり
資料：経済産業省「経営発達支援計画手続きガイドライン」を参考に宇都宮商工会議所が作成

のうち，小規模事業者の技術の向上，新たな事業の分野の開拓，その他小規模事業者経営の発達に特に資するものを「経営発達支援事業」に細分化している。こうした事業を中心に栃木県や宇都宮市と連携を図りながら，管内小規模事業者の支援に取り組んでいる。関連法と支援事業の関わりについては図2-8-4を参照されたい。

(2) 宇都宮商工会議所における事業者支援の推移

　当商工会議所における年度ごとの支援件数については，図2-8-5・図2-8-6を参照されたい。図2-8-5は，巡回・窓口別支援件数の推移，図2-8-6は相談内容別件数の推移となっている。2020年度は，新型コロナウイルス感染症の影響が長期化する中で窓口での支援件数が増え，巡回での支援件数を逆転している。これは，新型コロナウイルス感染症に関連した様々な支援策の相談窓口として，行政への協力も含め積極的に対応した結果と考えられる。

　次に，相談内容別件数については，2016〜2020年度の5年間をみると「経

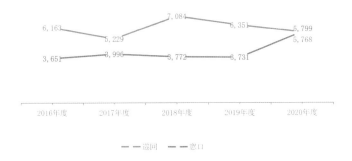

図2-8-5　巡回・窓口別支援件数の推移
　資料：宇都宮商工会議所事業報告書を参考に作成

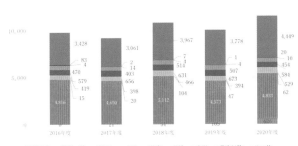

図2-8-6　相談内容別件数の推移
　資料：宇都宮商工会議所事業報告書を参考に作成

営革新」分野が，2019年度の105件から2020年度に626件と大きく伸びている。これは，新たな事業分野にチャレンジするために，新たな事業計画策定に取り組む小規模事業者が増えているということである。新型コロナウイルス感染症の影響を乗り越え，ポストコロナに向けて果敢にチャレンジしている小規模事業者への支援が増々重要となっている。

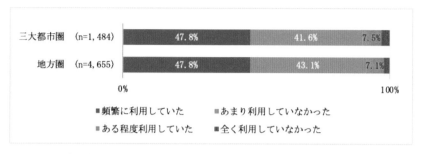

図2-8-7　商工会・商工会議所の利用頻度
　　資料：三菱UFJリサーチ＆コンサルティング㈱「小規模事業者の環境変化への対応に関する調査」
　　出典：中小企業庁編中小企業白書『小規模企業白書2021年版（下）』小規模企業の底力
　　（注）　2-8-1）　本アンケートは，商工会及び商工会議所の会員のうち小規模企業振興基本法に基づく小規模事業者に対して調査を行っていることに留意が必要。
　　（注）　2-8-2）ここでいう三大都市圏とは，東京圏（東京都，神奈川県，埼玉県，千葉県)），名古屋圏（愛知県，岐阜県，三重県)，大阪圏（大阪府，京都府，兵庫県，奈良県）に含まれる都府県のことをいい，地方圏とはその他の道県のことをいう。

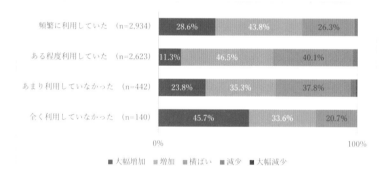

図2-8-8　商工会・商工会議所の利用頻度の変化（感染症流行前の利用頻度別）
　　資料：三菱UFJリサーチ＆コンサルティング㈱「小規模事業者の環境変化への対応に関する調査」
　　出典：中小企業庁編中小企業白書『小規模企業白書2021年版（下）』小規模企業の底力

　　（注）　2-8-3）本アンケートは，商工会及び商工会議所の会員のうち小規模企業振興基本法に基づく小規模事業者に対して調査を行っていることに留意が必要。

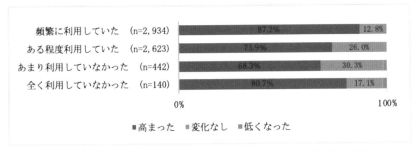

図2-8-9　商工会・商工会議所への期待度の変化（感染症流行前の利用頻度別）
　　資料：三菱UFJリサーチ＆コンサルティング㈱「小規模事業者の環境変化への対応に
関する調査」
　　出典：中小企業庁編中小企業白書『小規模企業白書2021年版（下）』小規模企業の底力
　　（注）　2-8-4）　本アンケートは，商工会及び商工会議所の会員のうち小規模企業振興
基本法に基づく小規模事業者に対して調査を行っていることに留意が必要。

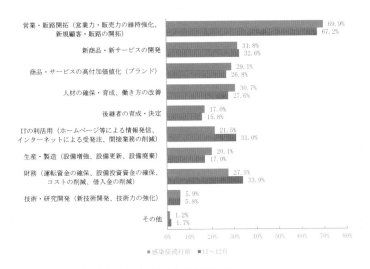

図2-8-10　小規模事業者が考える自社の経営課題
　　資料：三菱UFJリサーチ＆コンサルティング㈱「小規模事業者の環境変化への対応に
関する調査」
　　【出典】中小企業庁編中小企業白書『小規模企業白書2021年版（下）』小規模企業の底力
　　（注）　2-8-5）自社の経営課題について，三つまで確認している。
　　複数回答のため，必ずしも100％にならない。
　　回答数（n）は，6,139。

8.3　期待される商工会議所の役割と事業者支援

2021年版小規模企業白書の第2部第3章「感染症流行下の商工会・商工会

議所の取組と小規模事業者支援」では，小規模事業者へのアンケートを通じて，商工会・商工会議所の支援の実情と今後期待されることについて分析している。

　まずは，商工会・商工会議所の利用頻度（図2-8-7）を見てみると，感染症流行前において約半数の小規模事業者が頻繁に利用していた。次に利用頻度の変化を見てみると，感染症流行をきっかけに流行前に全く利用していなかった事業者の利用頻度が大きく増加している（図2-8-8）。さらに，利用後には「期待度が高まった」と回答している事業者が約8割近くを占めている（図2-8-9）。

　これは，全国の商工会議所が緊急事態の中においても，日本商工会議所が掲げる現場主義・双方向主義に沿った支援活動を行い，その相談対応が評価され，その後も利用し続けたいという気持ちになったものと推測される。我々は，こうした事業者の期待に応えながら支援内容のさらなる高度化に努めなければならない。

　そのために必要なことは，現場対応する職員には，常に小規模事業者の経営課題（図2-8-10）を的確に把握し，解決に導く支援スキル向上が求められ，さらには全体としての相談体制強化を図ることである。特に支援スキルに関しては日々変化する状況の中，事業継続・発展に向けて事業に取り組む小規模事業者の声に耳を傾け，情報収集・分析し，新たな経営課題にも対応できる支援能力を身につけなければならない。こうしたことを日々着実に実行することにより，地域に根差す小規模事業者の支えとなることが，我々の使命と考えている。

（松本泰宏）

第3章 創造都市研究活動

　本章では，まず第1節で，創造都市研究の現状として，文化の香る都市形成として，充実・発展を目指す活動を行っている本センターの目的と事業活動，運営する組織とその内容について紹介する。次いで，第2節では，創造都市研究活動の中心となっている地域活性化研究プロジェクト班（班長：田部井信芳〈宇都宮共和大学〉，前：渡邊瑛季〈帝京大学，前・宇都宮共和大学〉）を紹介し，その中で組織化した，アントレプレナー研究グループと，その組織で実行してきた代表的な事例，研究成果を紹介する。なお，この研究グループによるプロジェクトは，本センター参加校の4大学，協力校の宇都宮大学から選出された学生研究員によるアントレプレナー研究会として，5年間にわたり，様々な研究活動を行ってきたものである。以下，この内容について述べる。

第1節　創造都市研究の現状

1.1　はじめに

　宇都宮市創造都市研究センターは，「創造都市による発展で宇都宮都市圏の活性化を推進します」，とのコンセプトを掲げ，2017年10月からセンターにおける活動を開始した。図3-1-1で示すこのセンター組織は，宇都宮市内の5大学の特色や資源を集中して，これらの複数の大学が連携し，かつ，自治体・産業界等と連携して創造都市発展を目指すためのプラットフォームである[3-1-1]。本センターは創造都市宇都宮都市圏の形成，および，地域振興を担う人材育成を図り，地域貢献を目指すものである。この大きな方針の基に，以下に示す3つの方策を掲げて活動を推進し，2023年度で，6年目を迎えている。

　①文化のかおるまちづくりの実現を目指す

　②創造的産業創出，クリエイティブ産業等の誘致と育成に取り組む

　③地域活性化による若者の地元への雇用促進を図る

　以下，本センターの活動実績の現状について，活動の目的，主な活動事業の内容，事業推進方法について，その内容を述べる。

1.2　センターの目的と事業活動

　創造都市研究センターの大きな目的として，「創造都市宇都宮都市圏の形成」と「地域を更に振興できる創造的で高度な人材の育成」を図り，地域貢献を行う，ことを掲げている。このコンセプトの基に，「文化のかおるまちづくり」の実現を目指し，市民協働型の芸術・文化・スポーツ等の事業展開を図ること，さらに，創造的産業の創出を目指し，かつクリエイティブ産業等の誘致と育成に取り組み，さらなる地域活性化による若者の地元への雇用創出を推進する，との目的を掲げて活動を行い，多くの事業を実施している。現状では，主な事業として，以下の項目を実施している。

【調査研究等】

地域活性化研究プロジェクト班の中に，この研究事業を推進するアントレプレナー研究グループ（以下，研究会とする）を組織化した。この中で4大学関係指導教員，4大学より選出された学生研究員と参加校の宇都宮大学から推薦された学生研究員との連携により，以下の調査研究を行った。これらの資料は，新聞記事として紹介された[3-1-2〜3-1-14]。

- ●創造都市形成の立ち上げシンポジウム[3-1-2]
- ●「創造都市宇都宮都市圏」形成に関する地元・宇都宮の街歩きによる調査研究[3-1-3, 3-1-4]（写真3-1-1）
- ●魅力ある地域資源の活用による「まちづくり：大谷石のまちづくり等」の調査研究[3-1-5〜3-1-8]
- ●CCNJ（創造都市ネットワーク）[3-1-9]に加盟した活動推進（大会参加による，全国規模での活動）
- ●大学連携のあり方の研究（5大学連携研究を通してのモデル化推進事業）[3-1-10, 3-1-11]

- ●産学官連携の事業推進（まちづくり推進，アントレプレナー研究，各種交流等）
- ●市民等との交流（まちなか大学など生涯学習の推進）
- ●市民や各市民団体・企業への学術調査・研究支援・相談対応

写真3-1-1　調査ゼミ（宇都宮駅西口駅前にて）

　産学官の連携によるアントレプ

写真3-1-2　金賞受賞（大学コンソーシアムとちぎ主催「第18回学生＆企業研究発表会」）

写真3-1-3　優秀賞（1位，宇都宮市主催「大学生によるまちづくり提案2021」）

レナー研究を通して，市民団体とのまちづくり支援を推進

【文化芸術イベント】

アントレプレナー研究会により，以下に示す芸術などへの企画と実施を行っている。

- アート，スポーツ，音楽等における地域経済・社会・文化の活性化事業の企画・実施

  特に，後掲の写真3-2-5，3-2-6に示したように，大学祭を超えた4大学連携のマルシェの開催，音楽ライブ実演，芸術作品展示などのイベント開催を行った。

【市民との交流】

- 公開講座やワークショップの開催，生涯学習の推進（まちなか大学），交流会の実施

  地域活性化のための公開講座を実施，意見交換会を通しての交流会などを実施

- 自治会や市民団体との共同研究，協働事業

  市民団体との共同開催により，クリエイティブフォーラムを実施した。さらに，アントレプレナー研究による共同研究を推進し，この中で，後掲の写真3-2-6に示すように，まちなかマルシェの展示開催を実施した。

【創造的産業の育成】

- デザイン，コンテンツ等文化的創造企業の誘致

  創造的作品として，スマホを利用した交通アプリの開発を行った[3-1-12]。なお，今後は，企業誘致活動として，これらの開発を事業化に移行することを目指す。

- 創造都市形成に参加する産業への支援制度の検討

  直接的な活動な実施していないが，まちづくりを通して，起業やまちづくり団体との協働作業を通じて，産業支援に連なる活動を，今後の課題として推進していく。

- 新たな業態による雇用創出戦略の検討

  宇都宮商工会議所，宇都宮市内5大学の就職関係業務に従事する教職員，宇都宮市，中小・中堅企業経営者等との連携による意見交換会及び交

流会を実施する。今後，定期的(年1回以上)に実施することを目指すこととした。

【高等教育の質の向上と特色化】

●地域から求められる創造的人材の育成

　地域活性化研究プロジェクト班の中に，この研究事業を推進するアントレプレナー研究会を組織化し，地元産業界との連携による調査活動を実施した。今後の創造的人材発掘に向けての活動とする。

●県内大学・大学院への進学者及び県内企業への就職者増対策の検討

　地元就職を目指した就職支援のための，産学連携による意見交換会，交流会を実施した^(3-1-13, 3-1-14)。今後，地元企業との連携により，創造的人材による新たな雇用創出を目指した活動を展開していく。

1.3　創造都市研究センターの中長期計画

　わが国の各都道府県・市町村においては，それぞれの地域活性化を目指し，人口減少問題等からの回避を図るため，地域資源の発掘や発信力(プロモーション)などの取り組みが重要な課題となっている。いわば，「自治体間の知恵比べ」の時代で，その重要な戦略として「地方創生」の推進対策がポイントとなっている。この「地方創生」を実践するための中心的役割は，「ひと」であり，この「ひと」を育てるのは，「地(知)の拠点」としての大学がその使命を担っているものと考える。

　この観点から，本センターは，地域の高等教育のビジョン・目標を以下に掲げている。

1. 地域において特色ある研究・教育を行っている複数の大学等が一層の連携を図りながら，地域における高等教育機関としての役割・存在感を発揮していくことが重要である。また，10年後・20年後の18歳人口を考慮すると，高等教育機関の数がアンバランスとなることが明白である。このことから，大学等の在り方について真摯な検討を行っていく。

2. 大学等の連携に加え，地域の企業・自治体等とも十分な連携協働を図りながら研究・教育に当たり，地域における高等教育の質の向上を図

る。さらに，アントレプレナー研究を通して，地域における課題解決のための共同研究及び教育及び文化の向上・発展等に高等教育機関として寄与していく。

3. 大学および地域の企業・自治体等との協働により，地域間の連携・協力にとどまらず，本センターが所属するCCNJ（創造都市ネットワーク）を通じた都市圏との交流を活発に行い，地域に必要な人材の育成に務めていく。

1.4　センター運営の組織体系

本センターの活動は，最高意思決定機関である運営協議会の基で，運営委員会が当センターの運営全般と推進する事業の企画立案を行い，各種の活動を実施している。この下部組織に，地域活性化研究プロジェクト班，大学連絡会議，地元就職支援センターが組織化され，これらの組織が運営委員会の基で，いくつかの事業を推進している。なお，組織の透明性を図る意味で，アカウンタビリティーの保証が重要であり，このために，事業実施評価委員会が事業全体の管理評価を行っており，センター事業推進などの適正な運営に貢献している。

これらの指揮体系図は，図3-1-1に示した。

図3-1-1　宇都宮市創造都市研究センター組織図

1.5 センター事業の主な運営活動の実績

宇都宮市の創造都市としての発展を目指し，以下の組織が運営委員会の基で，事業を企画し，推進している。

以下，具体的に主な活動内容について紹介する。

1.5.1　地域活性化研究プロジェクト班の活動

創造都市研究ゼミ（アントレプレナー研究会）を組織化し，現在は3期目となり，4大学より13名の学生研究員による研究プロジェクトを構成している。このプロジェクトは，産学官の連携により，産業化，まちづくり協議会，著名な有識者との連携により研究を実施している。なお，この研究会は，1期2年とし，4大学より，1期目：12名学生研究員（参加校：4大学からの派遣学生），2期目：11名学生研究員（参加校：4大学，協力校：宇都宮大学2名からの派遣学生）による研究活動が行われている。また，2023年度の現在は3期目の研究プロジェクトを実施中である。

1.5.2　社会人教育（まちなか大学）の活動

調査研究活動および，市民との共同作業などのミッションでの活動の一環として，社会人教育を目指したまちなか大学を実施した。この結果，多くの市民の方たちとの連携，コミュニケーションを図る機会としての意義は大きく認められてきたと言える。

1.5.3　4大学連携講座：CLUの開講[3-1-15,3-1-16]

宇都宮市創造都市研究センターの4大学が連携して教育研究活動を実践する 機 会 をCLU（Collaborative Lecture for Utsunomiya Creative City Research Center）とする講座を開講した。この講座を，大学コンソーシアムとちぎ，の中で共通講義として実施した。この講義の実施による，郷土を発展させ，若者が定着するまち宇都宮を創生するためのシーズを発掘する講義となることを目指した。なお，この狙いは，デジタルコンテンツ論，である。この講義は，2019年度より，2022年度まで4回開講した。延べ受講生人数は，4大学からの学生，60名程度となっている。取得は2単位，15コマ数である。

シラバスは，

　①ガイダンス：講義概要，創造都市のコンセプト（作新大）

　②ICTが担うDCMの背景と創造都市実現への役割（作新大）

　③行政による情報化（ICT活用）施策の現状と将来（宇都宮市）

　④オープンデータ（DC）活用による市民生活の活性化（共和大）

　⑤DCとクリエイティブアーツ概論，DC制作成果発表（文星大）

　⑥DCとクリエイティブアーツの制作演習と成果発表（帝京大）

　⑦DCMのビジネス展開と課題学修，成果発表（作新大）

となっている。4大学より講師を派遣し，学生の指導に当たった。

1.5.4　中高大連携事業

　本センターでは，地域の大学進学へのきっかけ作りと中高大（中学校，高等学校，大学）連携を目指し，中高大の接続を考える事業を始めた。このイベントは，2020年2月20日に，「創造都市フォーラム」「キャンパス体験：いってこ～－地域の大学に進学しよう－」との企画で実施した[(3-1-15)]。この催しは，宇都宮市内の中学生，高校生，大学生が参加し，4つの大学のキャンパス見学・体験を行い，併せて，その地域の歴史も学び，郷土愛を育むものである。また，市議会議事堂を見学し，市政の状況も勉強した。また，中高大の学生生徒で組織したグループ活動により，参加者間の交流を深め，また，グループディスカッションや発表会を実施して，アクティブで積極性のある若手の人材を育てることを意図した目的を達成した。さらに，2021年度は，2021年8月18日に，「宇都宮市高大接続フォーラム」として事業をを実施した。ここでは，宇都宮市教育委員会からの郷土教育の取り組み紹介（講話：「なぜ，『宇都宮学』　なのか？」～宇都宮の魅力再発見～）を聴講し，これを題材に大学生と高校生たちで，の高校および大学教育についての意見交換会を行った。特に，「高校・大学における郷土教育の必要性」と題し，郷土教育の必要性，栃木や宇都宮の魅力について，県の教育委員会，市の教育委員会の有識者をコーディネーターに，高校生，大学生がディスカッションを行った。さらに2022年度は，「宇都宮市高大接続フォーラム2022」と題し，市内高校生，大学生を対象とした高大接続に関するフォーラムを実施し，高校と大学

の教育のあり方を考える機会とした。なお，宇都宮市教育委員会より地元宇都宮の素晴らしさを紹介頂くとともに，宇都宮市内の私立4大学の特色・入試傾向などの広報，大学生とのディスカッションを通して地元大学への進学意欲を高めてもらうきっかけ作りを目指して事業を実施した。

1.5.5　大学連絡会議

この会議は，参加校である4大学間の連携を図り，高等教育の現状と課題に関する研究，提言，研修を行うことを目的とした，図3-1-1の中で示す会議体である。年に2回ほど合議体で開催し，状況確認，進捗検討，事業推進，などプラットフォームの全体を見ながらの運営を行っている。大学間連携講座（CLU）の開講，アントレプレナー研究の推進，FD・SD研修会などを企画実施している。このほかに，宇都宮市第6次総合計画の教育施策と本研究センターの中期計画との整合性なども協議検討している。メンバーは以下のとおりである。

- ●大学連絡会議部会長：宇都宮共和大学シティライフ学部学部長
  田部井信芳
- ●文星芸術大学副理事長，芸術文化地域連携センター長：長島重夫
- ●作新学院大学地域協働広報センター副所長（現・船田教育会顧問）：
  春日正男
- ●帝京大学宇都宮キャンパス総務グループ　乾泰典

1.5.6　地元就職支援センター

本支援センターについては図3-1-1の中で示した。この組織は，以下の趣旨で設置されている。すなわち，宇都宮市内に在住し，また県外からの在住を目指す若者や社会人等が再就職・転職等を促進するため，地域就職職支援センターを組織して，この活動に関する機運を醸成し，これを支援する事業を目指す，とした設置趣旨である。

この事業を実施するにあたり，宇都宮商工会議所との連携を図り，事業を推進することを企画し，この事業推進のために，情報交換等必要な支援を行っている。2022年度に第1回の若者の地域就職支援に関する意見交換会を

実施した。具体的には，宇都宮市内の大学の就職関係業務に従事する教職員と，宇都宮商工会議所，宇都宮市，市内の中堅・中小企業経営者等との連携による情報交換会及び交流会を通じて，この事業を推進している。2022年9月8日に，宇都宮商工会議所と本センターとの共催により，宇都宮共和大学にて，大学関係者，市内の中堅・中小企業経営者が集まり，情報交換を目的として，コミュニケーションを図った。この企画事業を通して，栃木県や宇都宮への若者の就職支援，J，U，Iターンなど普及促進を図ることを目的としており，その意図は達成されつつある。

1.6　センター事業の管理評価

当センターの運営に伴う，透明性とアカウンタビリティーの保証として，図3-1-1の中で示す事業実施評価委員会を設置し，年度ごとにその活動実績を評価し，今後の課題を探求しながら，センターの運営活動を効果的な運営を推進している。

1.6.1　事業実施評価委員会のメンバー

委員会の構成メンバーは以下のとおりである。
評価委員会委員長：文星芸術大学副理事長，芸術文化地域連携センター長
　　　　　　　　　　　　　　　　長島重夫
宇都宮共和大学教授：田部井信芳
学校法人船田教育会顧問（作新学院大学）　春日正男
宇都宮市市政研究センター副所長　　　　　田代卓也（前・野澤幸雄）
宇都宮まちづくり推進機構事務局長　　　　田邉義博

1.6.2　宇都宮市創造都市研究センターの活動実績の評価

中長期計画に定める具体的施策の実施状況の評価について活動実績報告書等に基づきセンターの運営会議メンバーより説明を行い，総合評価を決定する。この結果，2021年度は，「A」とする，との評価結果が諮問されている。

1.7 おわりに

　宇都宮市創造都市研究センターのミッション，組織，活動内容，主な活動，組織のアカウンタビリティーの保証内容について述べてきた。今までの5年間にわたっての活動実績をもって，創造都市研究の実績として紹介した。

　今後も継続して，本センターを運営し，創造都市宇都宮都市圏の形成に向けた活動を実施していく。

【参考文献】
(3-1-1) 宇都宮市創造都市研究センター：https://www.rccc-utsunomiya.org/
(3-1-2) 創造都市形成へ初シンポ：『下野新聞』掲載記事 (2018.1.27)
(3-1-3) 芸術文化，創造都市形成へ：『下野新聞』掲載記事 (2013.12.23)
(3-1-4) まちづくりあり方探る：『下野新聞』掲載記事 (2019.12.13)
(3-1-5) 大学生，街なかで発表会：『下野新聞』掲載記事 (2018.09.07)
(3-1-6) 大谷石文化軸に，都市形成学ぶ：『下野新聞』掲載記事 (2020.10.21)
(3-1-7) 街づくりへ「研究ゼミ」：『下野新聞』掲載記事 (2019.3.13)
(3-1-8) 宇都宮市中心市街地の活性化策：『東京新聞』掲載記事 (2019.04.26)
(3-1-9) 創造都市ネットワーク：https://ccn-j.net/
(3-1-10) 連携生かし事業具体化を：『下野新聞』掲載記事 (2018.02.07)
(3-1-11) 地方大の在り方を考える：『下野新聞』掲載記事 (2018.06.15)
(3-1-12) 近未来キャラクターが案内：『下野新聞』掲載記事 (2018.07.22)
(3-1-13) 宇都宮・4私大と商議所など連携─就職支援センター始動：『下野新聞』掲載記事 (2018.11.09)
(3-1-14) 人材流出抑制など成果を：『下野新聞』掲載記事 (2019.06.06)
(3-1-15) 中学生もオープンキャンパス：『下野新聞』掲載記事 (2020.01.31)

（春日正男）

第2節　地域活性化研究プロジェクト班の活動

2.1　はじめに

　宇都宮地域は，1,000年以上の歴史的な遺産を保有する地域として発展してきた。この地域背景をベースに，地域活性化研究プロジェクト班（班長：田部井信芳〈宇都宮共和大学〉，前：渡邊瑛季〈帝京大学，前・宇都宮共和大学〉）は，宇都宮地域が，文化の香る都市形成として充実し発展していくことを目指し，このための地域振興を目的としている。この宇都宮地域の振興には，人材の育成がまず重要であり，さらに，その人材が活躍できる組織や新たな起業，そして，企業の活性化が求められる。この背景から，宇都宮をシリコンバレーのように起業がしやすく，産業振興ができる経済特区形成を目標の一つとして視野に入れた推進活動を展開することを目指す。このために，宇都宮市創造都市研究センターの中で連携する5大学（参加校：宇都宮共和大学，作新学院大学，帝京大学宇都宮キャンパス，文星芸術大学，協力校：宇都宮大学）と関係する産学官民の各種団体の協働作業により宇都宮地域におけるアントレプレナーとなることを目指し，この目的達成のために，「アントレプレナー研究プロジェクト」を発足した[3-2-1, 3-2-2]。このプロジェクトは，5大学より選抜された若い学生たちを中心とするプロジェクト編成であり，このプロジェクトの活動を通して，宇都宮地域を振興発展させる原動力となる企業の創業を目指すための方向性，起業目標の調査研究を行っていく。研究プロジェクトは，1期2年を基本とし，宇都宮市創造都市研究センター発足から現在3期目の活性化プロジェクトを推進している。

　さて，本研究プロジェクトの目的は，2016年5月に始まるわが国のSDGs推進に向けた方向性を参考に，「SDGsな未来都市うつのみや」と「芸術文化の香る宇都宮」を目指し，今後の宇都宮地域の振興発展を目指し，これを地域活性化に繋げ，今後も成長し持続可能な宇都宮市を創生することである。現在，宇都宮には20団体以上の起業支援団体が存在しており，様々な方面で精力的に活動している。特に，新しい考えや熱意で今後の宇都宮を担って

いく若者，「特に，高校生／大学生」の世代の活躍は「SDGsな未来都市うつのみや」の実現に重要な役割を果たす，と期待できる。したがって，宇都宮地域の創造都市実現を推進していくためには，将来を担う若者の育成が必要である。この点からは，現在の宇都宮市には，「高校生／大学生」には起業の知識の周知は十分であるとは言えない。支援団体には各教育機関への支援が難しいという課題もある。その結果，世界的にも開業率が低いわが国においては，日本の学生は起業という選択肢に興味関心を抱くきっかけが少なく，知識を得る機会を逃してしまっている。したがって，小学校，中学校，高等学校，大学生などの若者に活躍の場が生まれるアントレプレナーの育成などに着目した施策が必要と考えられる。この観点から，本プロジェクトは主体となる教員指導による学生主体の起業の方向性を探り，市内での定期的な活動や教育機関での講義などを行い，アントレプレナーの意識の向上を図るとともに，企業に向けての活動にも着手する機会となる企画を立てていくこととしている。将来的には，このアントレプレナー育成の研究活動事業の成功により，起業家精神にあふれた市民や魅力的な店や施設が集まった都市としての成長が現実のものとなり，「SDGsな未来都市うつのみや」への道が着実に拓かれていくものと思われる。そしてそれが，わが国，さらには，世界から注目される都市，宇都宮になることに連なっていくものと期待される。この方向から，地域活性化プロジェクト班の事業活動の推進とその成果が期待されており，これを達成するために，若い学生による研究を主体とした本プロジェクトの推進を図ることとする。

2.2 研究の目的

この研究プロジェクトの目標は，本県，特に宇都宮地域における若者に，「起業」という選択肢を身近にすることである。すなわち，宇都宮をアメリカのシリコンバレーのような起業家精神に満ちた若者が集う都市にしたい。そこで，これまで宇都宮市が行ってきた起業支援に加え，新たな支援策を提案することを目指す。そのために，起業しやすい・したくなる環境を創ることに注目した。この研究は，起業した企業の調査と起業家の実情や行政の支援策などを周知させるための有識者によるセミナー形式の勉強会や起業啓発

イベントを企画し，実行することである。これを通して若者に起業という選択肢を与え，起業に関心を抱かせることを意図する。そして宇都宮に起業する若者たちが増え，その起業家たちにイベント協力をしてもらう。また起業に関心を持つ若者が増え……といったサイクルが望め，持続可能性が担保される。その結果，宇都宮地域は経済的に活発になり，流動人口増加が期待できる。本研究はこの計画のための'先駆け'を目指す。この研究プロジェクトの推進により，研究テーマを遂行し，「未来都市うつのみや」への道が着実に拓かれ，創造都市うつのみやの実現に向けて創造都市化による活性化を図ることに連なる。これが研究目的となる。

2.3　研究プロジェクトの概要
2.3.1　プロジェクト提案の趣旨

　私たち研究グループは，2018年3月から宇都宮地域の創造都市に向けての活性化をテーマに活動をしてきた。その活動を通して浮かび上がってきたのは，宇都宮市では，キヤノン，本田技術研究所，日産，スバルやNTT東日本などの大手を中心とする製造業等の産業が活発な一方で，宇都宮市を起源とするベンチャー企業が少ないという現状結果であった。そこで，私達研究プロジェクトは「起業がしやすい・したくなる宇都宮」をテーマとして宇都宮の将来の成長市場の創出を図り，地域活性化に繋げ，今後も成長し持続可能な創造都市を実現できる，そのような起業に注目した研究していくことを目指して活動を開始し，実施してきた。

　さて，現在の起業の状況を概観すると，わが国は，世界の先進国の中でも起業を考える人の割合が少ないといわれている。これは，新卒一括採用や終身雇用制度，労働者の権利の強さなど，日本独自の労働環境によるものであり，一概に悪いこととは言えない。しかしながら，チャレンジ精神や想像力，主体性といった新たな価値を生み出す能力や資質が激烈なグローバル社会を生き抜く術として求められている中で，日本人にそうした起業家精神が失われていき，日本の国際競争力が低下していくことも危惧される。日本は決して起業が難しい国ではない。日本で起業が少ない直接的な要因は，そもそも日本人が起業活動をしない，自分でビジネスを興そうとする意識が希薄だか

らと考えられる。こういった問題から，起業の意識がない地域，特に栃木県内の若者：「高校生／大学生」に対して，卒業後の進路として「就職か進学か」という二者択一の選択肢から，「起業」という第三の選択肢を提示して，様々な選択肢，働き方があることを広報し，起業のすばらしさを呼びかけることが主な本プロジェクト事業の提案趣旨である。

2.3.2　研究の特徴

以下の4点を創造都市宇都宮都市圏を目指す地域活性化研究プロジェクト班の事業の特徴とする。

①大学を超えた5大学の連携と産学官の連携協働による共同研究とする。

②将来を担う連携する大学生の視点も取り入れ，宇都宮独自の景観を伴うまちづくりを目指すとともに，関連ショップの起業を目指すパイロット的研究とする。

③栃木県，宇都宮市の歴史的文化的資産，景観等に注目した文化を意識した視点からのまちづくりの可能性を追求した研究とする。

④市民のシビックプライドの調査データに基づき，これからの創造都市への改革と推進に向けて企画を提案し，地域活性化の方向性を探る研究とする。

2.3.3　プロジェクト内容

本プロジェクトは，宇都宮地域の創造都市実現を目指して，その基礎となる，起業に注目し，このためのアントレプレナーシップ研究を実施してきている。下記にその概要を示す。

(1)第1期　創造都市・宇都宮都市圏を目指す地域活性化研究プロジェクト班(写真3-2-1)
　●プラットフォーム共同研究プロジェクト事業(2019.4〜2020.3)
　●テーマ：シビックプライドの向上による未来都市うつのみや活性化

(2)第2期　創造都市・宇都宮都市圏を目指す地域活性化研究プロジェクト班(写真3-2-2)
　●アントレプレナー研究事業(2020.4〜2022.3)

写真3-2-1　第1期研究プロジェクトの様子　　写真3-2-2　第2期研究プロジェクトの様子

- ●テーマ：起業したくなるSDGsな未来都市うつのみや
- (3) **第3期　創造都市宇都宮都市圏を目指す地域活性化研究プロジェクト班**（写真3-2-3）
- ●アントレプレナー研究事業（2022.9～2024.3）
- ●テーマ：宇都宮地域を発展させる原動力となる企業の創業を目指すための，方向性，起業目標の調査研究

2.4　研究内容

2.4.1　研究プロジェクトの概要

　この研究プロジェクトは，宇都宮地域の特徴となる市内の文化財，地場産材を調査し，それらを効果的に活用して宇都宮地域企業の発展や起業促進を意図している。そして，その効果が，創造都市宇都宮の推進に寄与し，さらに，これを通じて，市民・県民の社会生活向上に連なること意図としている。このため，市内の創造都市研究センター参加校の4大学を中心に，市内の関連自治体，経済団体，企業等が連携し，それぞれが特徴とする役割を担う産学官金の共同研究を企画実行している。さらに，学生研究員である連携5大学の学生の若い視点も取り入れ，まちづくりと起業等による新たな産業の振興に結び付けるためのパイロット的研究を目指し，宇都宮市創造都市研究センターが中心となり，参加校の4大学からの予算的措置により実施している。研究内容は最終的には，「未来都市うつのみや」の活性化に寄与することを研究目標としている。この研究方向に沿って，5年前から，第1期研究プロジェ

写真3-2-3　第3期　研究プロジェクトの 様子

写真3-2-4　武蔵野大学とのアントレプ レナーに関する研究風景

クト，第2期研究プロジェクト，そして，現在は，第3期研究プロジェクト を遂行中である。なお，今年度新たに，東京の武蔵野大学アントレプレナー シップ学部との連携研究も視野に入れた活動も実施していく予定である。写 真3-2-4に武蔵野大学とのアントレ研究に関する第1回目の学生によるディ スカッションの様子を示した。

2.4.2　研究プロジェクトの事業結果について[3-2-3]

本節では，創造都市宇都宮都市圏を目指す地域活性化研究プロジェクト班 の具体的活動テーマとその代表的な内容，研究メンバーを記す。

2.4.2.1　第1期プラットフォーム共同研究プロジェクト事業結果（2019.4 ～2020.3）

第1期の活動結果の主な成果を2つ，以下に示す。

（1）大学コンソーシアムとちぎ主催：第16回学生＆企業研究発表会での論 文発表

発表者：宇都宮市創造都市研究センター創造都市研究ゼミ：学生研究員

指導教員：西山弘泰（前共和大）・春日正男（作新大）

①宇都宮市民50万人観光大使計画～市民が宇都宮をもっと自慢するため に～

受賞：（株）ファーマーズ・フォレスト賞

発表者：車塚穂乃香（文星大：文星芸術大学），木村天・馬宇彤（共和

大：宇都宮共和大学），野中相佳（作新大：作新学院大学）

②JR宇都宮駅西口再開発構想〜栃木県を象徴する駅前景観の創造を目指して〜

受賞：(株)大高商事賞

発表者：遠藤陸（共和大），簗島春菜・渋井沙樹（文星大），猿山凌（作新大）

③UTSUNOMIYA VALLEY計画〜起業促進策の検討と実践をとおして〜

受賞：栃木銀行賞

作新学院大学経営学部 宇都宮市創造都市研究センター創造都市研究ゼミ

発表者：松田さりか・栃澤芳樹（作新大），ドアン・ホン・ハイ（共和大），吉田瞳（文星大）

(2)宇都宮市主催：大学生によるまちづくり提案2019での発表

発表者：宇都宮市創造都市研究センター創造都市研究ゼミ：学生研究員

①宇都宮駅西口大改造計画—目でみてわかる宇都宮—

受賞：3位入賞

発表者：遠藤陸（共和大），猿山凌（作新大），渋井沙樹・簗島春菜（文星大）

指導教員：西山弘泰（前共和大）・春日正男（作新大）

②宇都宮市民50万人観光大使計画　—市民が宇都宮をもっと自慢するために

発表者：車塚穂乃香（文星大），馬宇彤・木村天（共和大），野中相佳（作新大）

指導教員：西山弘泰（前共和大）・春日正男（作新大）

③起業したくなるSDGsな未来都市うつのみや「UTSUNOMIYA VALLEY計画」

発表者：松田さりか・栃澤芳樹（作新大），ドアン・ホン・ハイ（共和大），吉田瞳（文星大）

指導教員：西山弘泰（前共和大）・春日正男（作新大）

2.4.2.2　第2期アントレプレナー研究事業結果（2020.4〜2022.3）

第2期の活動結果の主な成果を2つ以下に示す。

(1) 大学コンソーシアムとちぎ主催：第18回学生＆企業研究発表会の論文発表

発表者：宇都宮市創造都市研究センター創造都市研究ゼミ：学生研究員

①宇都宮をスマートで創造的な街にしよう―LRT×路線バス オリジナルアプリの開発―

受賞：金賞（写真3-1-2）

発表者：趙志浩（帝京大学宇都宮キャンパス），佐藤雅哉（共和大），中野文華・山内祥輝（作新大），碓氷瑞紀（文星大），北條結衣・西田聖梧（宇大：宇都宮大学）

指導教員：渡邊瑛季（前共和大）・春日正男（作新大）・西山弘泰（前共和大）

②とちぎから社会の若きリーダーを生み出す―学生・若者のチャレンジ応援コミュニティづくり―

受賞：鹿沼相互信用金庫理事長賞

発表者：山内祥輝（作新大），碓氷瑞紀（文星大）

指導教員：西山弘泰（前共和大）・春日正男（作新大）・渡邊瑛季（前共和大）

③田川活性化プロジェクト―昼は楽しく夜も明るい文化・創造都市宇都宮―

受賞：あしぎん賞

発表者：安野巧真（作新大），菊地円樺・宇梶宏海（共和大）

指導教員：西山弘泰（前共和大）・春日正男（作新大）・渡邊瑛季（前共和大）

(2) 宇都宮市主催：大学生によるまちづくり提案2021

発表者：宇都宮市創造都市研究センター創造都市研究ゼミ：学生研究員

①とちぎから社会の若きリーダーを生み出す―学生・若者のチャレンジ応援コミュニティづくり

発表者：齋藤陽夏（文星大），佐藤雅哉・菊地円樺・宇梶宏海（共和大），安野巧真・中野文華・山内祥輝（作新大），碓氷瑞紀（文星大），趙志浩（帝京大：帝京大学宇都宮キャンパス）

指導教員：西山弘泰（前共和大）・春日正男（作新大）・渡邊瑛季（前共和大）

②宇都宮をスマートで創造的な街にしよう―LRT×路線バス オリジナルアプリの開発―

発表者：佐藤雅哉・宇梶宏海・菊地円樺（共和大），趙志浩（帝京大），碓氷瑞紀・齋藤陽夏（文星大），中野文華・山内祥輝・安野巧真（作新大），北條結衣・西田聖梧（宇都宮大）

指導教員：渡邊瑛季（前共和大）・春日正男（作新大）・西山弘泰（前共和大）

③田川活性化プロジェクト―昼は楽しく，夜も明るい文化・創造都市宇都宮―（写真3-2-5，写真3-2-6）

受賞：最優秀賞（宇都宮市長賞）（写真3-1-3）

発表者：宇梶宏海・佐藤雅哉・菊地円樺（共和大），安野巧真・中野文華・山内祥輝（作新大），碓氷瑞紀・齋藤陽夏（文星大），趙志浩（帝京大）

指導教員：西山弘泰（前共和大）・春日正男（作新大）・渡邊瑛季（前共和大）

写真3-2-5　田川ブリッジシアター

写真3-2-6　田川活性化プロジェクト学店マルシェ

2.4.2.3　第3期アントレプレナー研究事業状況（2022.9～2024.3）

　この第3期研究プロジェクトは現在進行中であり，研究のマイルストーンにしたがって，以下の研究員メンバーと指導教員でプロジェクトを遂行している。

　学生研究員：大野洋輔・井上光貴・大森椋太・狐塚智稀・星倖生（共和大），二階堂梓・石田美怜・伊藤央恭・石川湧也（作新大），長谷川翔一・小林優作・森平圭太（帝京大），平田佳楠・渡邉圭曜（文星大），渋谷龍気（宇都宮大）

　指導教員：渡邊瑛季（前共和大）・春日正男（作新大）

①起業を専門とする有識者によるセミナーの開催による研修の場を設ける。

②宇都宮に適切な起業を目指す方向性，プロセスを調査検討する。

③国内で，先進的な起業を実施している自治体，団体などの実地調査を行う。

④研究成果を広報する目的で，大学コンソーシアムとちぎ，宇都宮市の害学生によるまちづくり等の応募を目指す。

⑤プロジェクト最終年に，プロジェクトの成果である研究成果発表会を実施し，研究報告書を作成する。

2.5　おわりに

　宇都宮市創造都市研究センターの中で，連携する5大学と，関係する産学官金の各種団体の協働作業による宇都宮地域におけるアントレプレナーシップ研究を目指してきた。この目的達成のために，地域活性化研究プロジェクト班のもとに，この研究プロジェクトが組織化され，この学生研究員によるプロジェクトメンバーにより研究が企画実行されてきた。創造都市の発展には，未来を創生する若者の力がぜひとも必要である。したがって，小学校，中学校，高等学校，大学生などの若者に活躍の場が生まれる環境，機会を作り，アントレプレーシップの育成などを目指した施策がぜひ必要であると考えている。この趣旨に基づき，若者の代表である参加校の4大学学生研究員による「アントレプレナー研究プロジェクト」を発足し，協力校である宇都宮大学との連携により，現在までに，第1期，第2期の研究を遂行し，その

結果を報告した。若者特有の画期的な着想により，宇都宮主催の「大学生によるまちづくり提案2019」で宇都宮市長賞（写真3-1-3）や，とちぎ大学コンソーシアムの第18回研究論文発表会などでも，金賞（写真3-1-2），複数の冠賞を獲得するなど，学生研究員の研究成果はその新鮮なアイデアと着実性が評価されてきた。また，実践面でも，第2期プロジェクト研究で市民の憩いの場となるブリッジシアター（写真3-2-5），学祭を超えた学生ショップ:学店マルシェ（写真3-2-6），等の創造都市を加速する市民生活の向上を目指す企画が実施され，市民の好評を得て，創造都市への発展に寄与することが期待されてきている。なお，現在，第3次プロジェクト研究を遂行中であり，この成果も期待されているところである。本創造都市研究センターにおけるこの地域活性化プロジェクトは，若い学生研究員の総合力により，確実な企画と実践による結果が生まれつつあり，今後の創造都市発展にこのプロジェクトが寄与していくことをぜひとも期待したい。

【参考文献】
(3-2-1) 起業身近に明日講演会：『下野新聞』掲載記事 (2019.11.16)
(3-2-2) 起業への道　学生が研究：『下野新聞』掲載記事 (2020.09.05)
(3-2-3) 宇都宮市創造都市研究センターのアントレプレナー研究プロジェクトの内容：
　　　　https://www.rccc-utsunomiya.org/

（春日正男）

第4章 創造都市宇都宮都市圏が目指す将来像

　本章では，本センターの様々な活動の実績を背景に，創造都市宇都宮都市圏が目指す将来像，として，参加校である私立4大学から，それぞれの特色を生かした今後の活動計画について述べるものである。参加大学4校は，現在までの特徴ある教育研究活動を背景に，その目的，課題，具体的施策について以下にその内容を紹介する。

第1節　地方私立大学における地域社会貢献のあり方と課題

1.1　はじめに

　地方創生の時代と言われ，文化芸術と産業経済の促進を目指し，文化の香る宇都宮市の創造都市実現に向けて設立された宇都宮市創造都市研究センターでも様々な活動を展開している。本節では，この活動をさらに効果的に推進していくために，地方の私立大学における地域社会貢献活動のあるべき姿とその課題について，筆者の実践活動を踏まえながら論じる。

　「大学の地域・社会貢献」や「産学官連携」という言葉は，近年すっかり一般的な用語として用いられるようになった。1970年代「地方の時代」が提唱され，地方分権が徐々に地方自治体に浸透していった。特に1990年代半ば以降，地方分権に関する制度が整い，地方自治体は自らの力で考え，行動しなくてはいけなくなったことから，大学と行政の連携も進んでいる。また，少子高齢化による若者の減少の中で，地域が学生の力を活用し，活性化を目指す動きも活発である。

　そうした社会的要請の変化は，大学のあり方にも変化をもたらしている。従来の大学の役割は，「教育」「研究」であったが，2000年代に教育基本法や学校教育法が改訂される中で「社会連携・社会貢献」が付け加えられた。それに連動するかたちで，大学の評価も地域社会貢献が必要条件になっている。例えば，大学基準協会における大学の認証評価には，「社会連携・社会貢献」が9項目に掲げられ，大学評価の指標となっている。こうしたことが背景となり，特に地方の中小私立大学にとっては，地域社会貢献こそが，その大学の価値を社会的に示すものとなっている。

　日本私立大学団体連合会が2015年に公表した中間報告[4-1-1]よると，「人材の多様性の確保」「大都市と地方の人材循環の推進」「グローバルにもローカルにも活躍できる人材の育成」を私立大学の役割としている。また，その具体策として「地方における雇用の拡大」「雇用創出に関するシンクタンクとしての役割」「社会人の学び直し環境の整備・充実」「大学が所在しない地域と

の連携・協力」「地域を支える人材の育成に向けた教育環境の整備」が指摘されている。この提言からも，私立大学の役割として，地域活性化のための人材育成やそのための各主体間での連携が重要であることが読み取れる。そして，地方の私立大学は，地方創生の動きと相まって，地域・社会貢献，換言すると「地域活性化」に果たす役割がより重要となっている。

　筆者も地方の発展に資することが地方私立大学における最大の役割であると考える。「まちづくりは人づくり」と言われるように，地域活性化には教育による人材の育成が重要である。各地域における最終教育機関である私立大学がなすべきことは，①地域の課題を的確にとらえること，②地域住民や行政，企業の大学に対するニーズを把握すること，③地域を構成する各主体と連携し課題解決に取り組むこと，④地域の課題発見・解決の過程で学生を育て地域活性化の担い手として地域に送り出すこと，であると考える。

1.2　大学における地域社会貢献

　大学の地域社会貢献活動（以下，地域活動と略す）の実態はどうなっているのか。文部科学省の受託調査で，毎年行われている「平成29年度開かれた大学づくりに関する調査研究」[4-1-2]を参考に，その実態や課題を簡単にみていきたい。

　表4-1-1は「実際に取り組んでいる項目」を示したものである。公開講座の実施や教員の派遣，社会人入学者の受け入れ，そして学生の地域社会貢献活動が群を抜いて多いことがわかる。公開講座や教員の派遣が特に高い割合を示している理由としては，提供のしやすさがあるものと考えられる。

　次に「地域社会貢献活動に期待する大学経営に資する効果」を表4-1-2に示した。「地域との連携が推進される」が最も多く，「大学の認知度／イメージアップ」「自治体との連携が創出される」「市民との接点が創出される」，そして「学生への教育効果が創出される」と続いている。これらの結果からは「地域との連携」が大学の評価，ひいては大学の経営にとって重要であることが読み取れる。逆の言い方をすると「連携しているという形式に意味がある」とも捉えることができる。一方，大学の本来の役割である「学生の教育」がそこまで重要視されていない実態も見えてくる。

　3つ目に「学生の地域貢献活動の目的」についてである（表4-1-3）。多くの大

表4-1-1　大学が地域社会貢献活動として実際に取り組んでいる項目（複数回答）

単位：％

	私立	国公立
公開講座を実施すること	96.8	98.0
教員を外部での講座講師や助言者・各種委員として派遣すること	90.3	96.6
社会人入学者を受け入れること	86.1	91.8
学生の地域貢献活動を推進すること	86.1	83.0
地域ニーズの把握のため地域（自治体等）との話し合いの場を設けること	63.0	71.4
施設等を開放し，地域住民の学習拠点とすること	62.2	76.2
社会人の学び直しに関すること	53.3	78.2
生涯学習や教育の最新動向について情報発信すること	50.1	70.7
大学における地域企業や官公庁との連携した教育プログラムを実施すること	48.7	65.3
地域活性化のためのプログラムを開発・提供すること	47.3	65.3
正規授業を一般公開すること	39.6	58.5
多様なメディアを活用し，大学の資源・コンテンツを開放	30.4	63.3
人材認証制度を実施すること	20.9	49.0
障害者の生涯学習に関する取組を実施すること	4.0	11.6

表4-1-2地域社会貢献活動に期待する大学経営に資する効果（複数回答）　単位：％

	私立	国公立
地域との連携が推進される	89.8	92.7
大学の認知度・イメージアップ	87.2	93.9
自治体との連携が剔出される	86.6	91.5
市民との接点が創出される	76.3	70.8
学生への教育効果が剔出される	71.0	80.5
地域の課題を解決することができる	68.2	82.9
地域活性化が大学の活性化につながる	68.2	67.1
教員・研究のPR	58.6	80.5
企業との連携が創出される	54.6	74.4
教育の活躍の場が創出される	53.3	76.8
新たな学生獲得につながる	43.5	61.0
教育の教育能力が改善される	30.3	46.3
講座受講者等によるNPO団体等の創出が期待できる	11.7	28.0
事業収入を得ることができる	8.7	26.8
その他	0.9	2.4

資料：文都科学省資料により作成

学において「学生の教育効果」を目的にしている一方，「大学の社会社会貢献活動の一環として」や「地域からの個々の要望に応えるため」など，大学の運営のために学生たちを利用していると捉えることができる回答も多数みられる。

　最後に「学生の地域社会貢献活動の際の課題」を表4-1-4において紹介する。課題として突出して高いのは「大学側の人手・人材が不足している」である。次いで「学生の参加意欲を高める工夫が施しにくい」「予算が確保できない」

表4-1-3学生の地域社会貢献活動の目的（複数回答）　　　　　　　　単位：%

	私立	国公立
大学側の人手・人材が不足している	81.9	85.5
地域との連携の意義が学内に浸透していない	37.7	59.0
連携のための予算が確保できない	37.0	62.7
多忙等を理由に教員の協力が得られない	24.2	47.0
大学に地域連携を推進する担当窓口・部署がない	16.9	13.3
連携協定を締結しているが形骸化している	16.5	37.3
地域との連携の効果が実感できない	13.1	22.9
妥当な連携先が見つからない	7.7	8.4
人事評価に反映されないことを理由として教員の協力が得られない	6.3	16.9
その他	7.9	14.5

表4-1-4学生の地域社会貢献活動の際の課題（複数回答）　　　　　　単位：%

	私立	国公立
学生の課題発見能力，問題解決能力を高めるため	86.8	83.8
地域の多様な人々との交流を通じた学生のコミュニケーション能力を育成するため	89.7	87.9
自治体等地域の諸課題の発見や課題解決へ貢献するため	77.9	71.7
地域からの個々の要望に応えるため	68.4	67.0
大学の地域貢献活動の一環として	77.9	83.4
その他	11.8	5.0

資料：文都科学省資料により作成

「地域貢献の意義が学内に浸透していない」「多忙等を理由に教員の協力が得られない」と続く。本事項については，以下で詳述する。

1.3　実践から得た学生による地域社会貢献活動の方策

　筆者が地域活動に携わるようになったのは，修士1年の2006年からである[(4-1-3)]。それ以来，理論や理想を語るだけではなく，地域の人々とともに行動し汗をかいてきた。本項では，筆者がこれまでの経験の中から，教員や大学がいかにして学生を地域に入れ，地域活動を行っていくべきかを述べる。

(1) 地域との下地作り

　まず，学生を地域に入れて活動させるためには，地域を耕し，そこに肥料をまかなくてはいけない。地域を耕すということは，教員自ら先陣を切って地域に入り，教員と地域との信頼関係を構築するということである。そのためには，教員が活動地域の居住者となることが大切である。筆者は「地域資源によるまちづくり」も一つの研究テーマにしていることから，NPO法人大谷石研究会[(4-1-4)]

にも所属している。当会に入会する際，代表のS氏から「先生はどこに住んでいるのですか？」と真っ先に問われた。この問いの裏には「あなたは地域にどれだけ本気で関わろうと思っていますか？」ということが隠れていることを察知した。どの地域に住んでいるかは形式でしかないが，その形式によって地域の人たちが自分に心を開いてくれるかどうかが決まる場合もある。

　次に地域の人たちの懐に入るということである。筆者は2014年から17年までいた福岡県にある九州国際大学においても学生とともに商店街活性化のお手伝いをしていた。その際には，商店街と同じ町内に住むとともに，町内会青年部へも入会していた。その他，地域の懐に入る秘訣としては，以下の2点があげられる。

　まず，地元の人たちが大切にしているものに関わるということである。北九州では7月の後半に「山笠祭り」と呼ばれる山車を担ぐ伝統行事がある。山笠の巡行は地域をあげた年中行事であり，中にはそれに1年間のすべてをかける者さえいる。筆者は1年目から山笠を担がせてもらったのだが，後に地域の方から「西山先生が汗をかきながら山笠を担いでから地域の人たちの西山先生に対する見方が変わった」と言われたことがとても印象的であった。

　次に「地域の方々と同じ視点や立場で行動する」ことである。特に年齢層の高い方々は，たとえ30代前半の若輩教員であっても，大学の先生として立ててくれる。また，筆者の発言も真剣に聞いてくれる。しかし，そうした地域の姿勢に対し思い違いをしてはならない。話を聞いてくれているのは，多くの場合，単に立ててくれているだけのことであり，話している内容が良いからというわけではないからだ。商店街活性化を行う団体の代表からあった「商店街の活性化に評論家はいらんのですよ」[(4-1-5)]という言葉も筆者の脳裏に深く刻まれている。商店街に関わり，様々な経験を積んでいる彼らは，筆者のような若輩が考えそうなアイデアはすでに考えている。アイデアを考えたり，それを言うことはたやすいことである。大切なことはそれを実行するか否かである。口だけでなく，地域とともに実行してくれるのかを地域の人々は注視している。そしてその行動によってのみ地域から真の信頼と敬意が得られるのである。

　最後に地域との多様なネットワークを築くことである。これが一番時間と

労力を傾けなければならない工程である。筆者は，学生の地域活動における教員の最も大切な役割は，必要な人物と学生をつなげることだと考えている。学生から「こういう活動をしてみたい」「こういうことについて知りたい」という要望が出る。それに対し，教員一人がすべてに対処することは困難である。それならば，あるテーマについて精通している人物と学生をつなげてあげればよい。

　しかし，地域の方々とのつながりは，ただ大学にいるだけでは築けない。様々な活動に参加するとともに，時には地域の方々からの要望を聞き入れ，ともに行動しなくてはならない。また，飲み会に参加したり，寄付をしたり，イベントに参加したりしなければならない。無論，飲食費や参加費，交通費はポケットマネーからである。地域に費やす時間は家族との時間や趣味の時間を削らなければならない。時には人間関係のトラブルやストレスも生じる。

　以上のように，地域は無条件で学生や教員を受け入れてくれるわけではない。大学が地域に入ろうとする場合，その顔になるのは教員である。半永久的に学生を地域に入れて活動させるためには，教員と地域との幅広い信頼関係の構築が必要である。

(2) 学生をどのように地域に入れるか

　次のステップは学生をどのように地域に入れるかである。学生に失敗させないために，地域活動の理論や知識を身につけさせたりしがちである。筆者も教員になりたてのころは，教科書を買って読ませたり，新聞記事のルポルタージュを読ませたりした。しかし，その効果はほとんどなかったように思える。百聞は一見に如かずというが，地域を知りたければ，まずは地域を歩いて，人とコミュニケーションをとり，様々なイベントに参加することである。そこから知らず知らずのうちに，地域との関わり方や何をすればよいのかが見えてくる。そこで失敗と感じることもあるかもしれないが，学生の失敗は失敗ではなく勉強である。ただ，教員が学生に対し「地域に出ろ！」と言っても，地域を知らない学生にとってはハードルが高い。最初のうちは，教員が同行し，手本を見せたり，しかるべき人物と繋いでいく。また，定期的に学生から活動状況を聞き，成功談や失敗談を報告させる。失敗したときには責めず，それが失敗ではなく大きな勉強のチャンスであることを伝える[(4-1-6)]。

成功したときには大いに評価する。

　学生が地域に入る動機付けを与えることも必要である。学生の中には，入学時から地域活動に関心がある学生もいる。そうした学生に動機づけは必要なく，機会を与えてあげればよい。しかし，目的意識を有する学生は少数であり，多くは何も考えていない。そうした学生を動かすのに最も有効なものは「卒業単位を付与すること」である。筆者は，宇都宮共和大学に着任した1年目からその必要性を感じていた。そのため2019年度から「地域社会実習Ⅰ」「地域社会実習Ⅱ」(いずれも2単位)という実習科目を設定した。これは一定時間地域社会貢献活動に関わった学生に対し卒業単位を与える仕組みである。活動に参加した学生すべてが活動に意味を見出し，主体的に参加するわけではない。むしろ，単位のため，仕方なしに参加する学生がほとんどである。講義もそうであるように，すべての学生を満足させることは不可能である。その中の1割でもその活動から何かが得られればよい。とはいうものの，地域活動に参加した学生は，就職活動の面接の際，その体験の話を面接官に話すらしい。活動しているときやその直後に効果がなくとも，多かれ少なかれ，これらの活動は学生の役に立っている。その時の学生の反応で良し悪しや教育的効果を判断してはいけない。

(3) 外部評価の力

　学生の地域社会貢献活動において，筆者が常に意識しているのは外部からの目である。学生たちが地域のためにやっていることでも，それが誰にも知られなかったり，評価されないと意味がない。その手段の一つ目は，新聞やテレビ，ラジオなどのマスメディアを利用することである(4-1-7)。近年，特に新聞は発行部数が減少し，その存続が危ぶまれている。しかし，地元の行政や企業，その他まちづくりに関わる人々の多くは，地元の新聞(栃木県では下野新聞)に目を通している。筆者のゼミが新聞記事に取り上げられると，必ず知人から「新聞に出ていましたね」と言われたり，同様の内容がLINEなどで送られてくる。そうしたことは，学生も同じである。ある学生は，新聞に取り上げられると親せきや地元の友人から連絡が入ったそうである。また，祖父母が泣いて喜び「祖父母への孝行ができた！」と喜んでいた。これは学生にとって地域活動がどれほど尊く，社会から称賛を受けるかを体感す

る瞬間でもある。この時の感動がその後のモチベーションや自己肯定感の醸成に寄与する。新聞などのマスコミに取り上げられるということは，自分たちのやっていることが社会的な承認や評価を受けた証である。地域活動というのは，自己満足でするものではなく，「誰のために，何をして，どのような効果が得られたのか？」ということが問われる。それに社会的承認と評価を与えてくれるのがマスコミなのである。この評価は，担当教員や学生だけに留まらず，大学の存在意義を示す証にもなる。

　学生たちの取り組みが新聞に取り上げられることは，学生全体にとっても効用をもたらす。卒業したある学生が話していたことであるが，卒業後に宇都宮共和大学の活動が度々新聞記事に取り上げられていることを知った行きつけの美容室の店員から「最近，宇都宮共和大学がまちづくりで頑張っててすごいですね！」と言われたそうだ。その学生は，自分が宇都宮共和大学出身であることをうれしく思ったという。マスコミに取り上げられる効果は，それとは関係のない学生にも小さな効果をもたらしている。

　もう一つは，外部での発表である。これはコンペティション形式が望ましい。というのも，競争して勝つことによって，学生たちは自分たちの活動の価値に気が付くからである。宇都宮市の大学は，少なくとも2つの発表会の機会がある。一つは，大学コンソーシアムとちぎ[(4-1-8)]が毎年11月に行っている「学生＆企業研究発表会」である。これは県内の大学や短大，高専などの学生チームが日頃の研究活動を発表する場であり，5つほどの分野に分かれて発表を行う。二つ目は宇都宮市が12月に実施している「大学生によるまちづくり提案発表会」である。これは宇都宮市内の大学等に参加資格があり，市政の課題を洗い出し，それを解決する施策を提案するというものである。

　確かに全国の大学を対象にしたコンペティションはいくつもある。しかし，全国の大学が相手だと賞を獲得できるチャンスも必然的に低くなってしまう。筆者は勝負というものは勝たなくては意味がないと考えている。本来は勝つことではなく，勝つために努力した過程が大切である。しかし，学生が活動を継続するためには，外部からの評価（称賛）とそれに伴うモチベーションの維持，自己肯定感の醸成が必要である。また，就職活動で自己アピールをする際も，受賞した方が面接官にその価値や意味を伝えやすい。

学生たちがマスコミに度々取り上げられたり，外部のコンペティションで勝利したりすることは，他の学生たちの意識を変えるということを最近強く実感している。学生たちの活躍を目の当たりにしている後輩たちが「自分たちも将来，先輩たちのように活躍してみたい！」と思うようになった。教員の役割は，多少下駄をはかせても，学生たちをアイドルのように輝かせることである。多少の勘違いでも構わない。「自分たちはイケている」と自信を持たせることである。これまで輝かしい成功体験がなく，「何をやっても無駄」と思っている学生も多い。そのような学生たちに「努力次第ではヒーローになれる」という意識を叩き込み，チャレンジや努力ができる学生に仕立て上げる。こうした人材を絶えず輩出することが，地方私立大学の本来の役割ではないだろうか。

1.4 地域社会貢献活動の課題

最後に，地方の私立大学が地域活動を行っていく上での課題を述べたい。

冒頭でも述べたように，まず挙げられるのは，地域活動を行うのは大学ではなく，教員と学生である。すなわち，教員と学生が動かなければ活動すら行うことはできない。2項で紹介したように，地域活動の課題として最も多くあげられていたのが「大学側の人手・人材が不足している」である。これまでも述べてきたように，地域活動に本腰を入れて取り組もうとすると，多くの予算，時間が必要になる。また，これらの活動は，教員が課せられた仕事ではなく，あくまでも教員個人の判断による。取り組んだからと言って収入が増えるわけではない。そしてこの種の活動の最大の問題点は，教員の研究業績にならないことである。筆者もそうであるように，多くの地方私立大学に勤める教員は，教育・研究環境や給与面で優れている大都市の有名私立大学や国公立大学で教鞭を振るうことを目指している。移籍を目指す際，評価の対象になるのは，研究業績である。地域活動は，研究業績欄に書くことができず，評価につながらない。このため，論文を書く時間ばかりか，余計なお金まで費やさなくてはならない地域活動に関わろうとする教員はまずいない。なり手不足の背景には，このような労力や時間をかけた分の見返りが乏しいことがある。

次に，地域活動に対する学内の評価が低いという点があげられる。愚痴になってしまうが，多くの時間や金銭を費やしているにも関わらず，他の教職員や事務職員から，ねぎらいの言葉をかけられることは少ない。このことからも現状として，地域活動が私立大学にとって重要であるにも関わらず，大学内部においてそうした認識が薄いことがわかる。時には「私たち教員や事務職員に余計な仕事を増やさないでください」と言わんばかりの態度を取られる場合もあり悲しくなる。しかしそうした姿勢は致し方がない。地域活動がそうした努力や自己犠牲からなっていることを誰も知らないからである[(4-1-9)]。

　さらに，学生たちのリスク管理の課題もある。地域に出すということは，トラブルに巻き込まれる可能性も高まる。逆に外部に人間に対して，たとえ意図的でなくても危害を加えてしまう可能性もある。いくら学生保険やイベント保険に入っていても，ケガや死亡事故が発生してしまうと取り返しがつかない。筆者が未だに解決できていない課題は，フィールドへの移動である。地方では自家用車を所有している学生が多いため，その学生に他の学生の送迎を依頼することが多い。しかし，事故や交通違反があった場合に，その責任は運転した学生に降りかかってしまう。大型のバスを貸し切るという方法があるが膨大なコストがかかるし，突発的なスケジュールにも対応できない。また，現地での機動力にも欠ける。そのため，筆者は大学から歩いて行ける地域での活動を奨励してきた。

　そして，学生が大学や教職員・事務職員に利用されることへの危惧がある。2項で示したように，大学のアンケートの結果からは，地域社会貢献活動の目的が，学生の教育よりも大学の評価，すなわち大学経営が優先されている現状が透けて見える。学生の教育的効果よりも，大学の対面や社会的評価を優先させ，学生を地域社会貢献の名のもとに利用しているケースも散見される。教員が保身や学内での栄達のために学生を利用していることもないとは言えない。ひと頃の学生に比べ，今の学生は多忙である。学生の本分は勉学であるが，家庭の事情などによってアルバイトを優先せざるを得ない学生も多い。それらの学生の大切な時間を，大学の評価や個人の栄達のために利用することは許されない。大学や教員は，学生の地域社会貢献とそれによる学びやキャリア形成の結果として，自分たちが評価されることを肝に銘じるべ

きである，と考える。

　最後に地域活動の形骸化である。前の指摘と重なる部分があるが，地域活動は，その内容や効果ではなく，実施することに重点が置かれているように感じられる。それは現状として実施内容よりも，実施したか否かで評価するシステムに問題があると言ってよい。また，繰り返すように大学内における人的リソースが圧倒的に足りておらず，中身を充実させたり，磨きをかけたりする余裕がない。このために，地域活動が名ばかりなものになってしまうのが多いのも現状である。

1.5　おわりに

　地域社会貢献活動は，地方私立大学が社会的意義を発揮し，持続的に教育を行っていく上で，最も重要な使命の一つである。しかしながら，その重要性が認識されていながらも，それを担う教員やサポート体制が充実しているとは言えない。その要因は，第一に大学教員を選考する際の評価が，従来の研究業績に偏重していることがあげられる。この問題要因の解決のためには，これらの地域活動による教育実績もその評価の一つとすることが地域活動活性化の推進目標として求められる。

　二つ目の要因は，大学の地域活動に対する国の金銭的支援がほとんどないことである。仮にその支援を受けようとしても，膨大な申請書や短期的な成果報告が求められ，本質的ではない部分に時間や労力が割かれてしまう。したがって，その解決策として私学助成に，地域活動に係る教員や事務職員への手当や学生の活動費用に充てる特別枠を創設することを提案したい。地域活動に割ける費用が担保されることで，マンパワーの拡充と教員や事務職員のモチベーションの向上につながる。これにより地方の私立大学は，より高度で効果的な地域活動に取り組むことができる。また，行政が地域活動への特別な支援を示すことで，その必要性が大学内にも浸透し，活動をスムーズに行う環境が築かれる，と考えている。

　以上に述べたように，地方私立大学の地域活動は，少数の教職員や事務職員の善意や情熱によって担われているのが現状である。しかし，これは持続可能であるとは言えない。地域活動は，やり方次第では，学生，教員，大学，

地域に良い影響を及ぼす。現状では，地域活動を行うというかたちだけが求められ，現場が疲弊するだけの誰も得をしない仕組みになってしまっている。それを改善するためには，地方私立大学において，その主体である学生や教員がやり甲斐や実行することによる効果を実感できる体制や環境の整備が最重要課題であり，この施策が極めて重要と考える。

【註】

(4-1-1) 日本私立大学団体連合会高等教育改革委員会 (2015)『地方創生に向けた私立大学の役割―わが国の永続的発展のために―』(2022年12月20日検索) https://www.shidai-rengoukai.jp/information/img/271130_5_area.pdf

(4-1-2) 文部科学省ホームページ「平成29年度開かれた大学づくりに関する調査研究」(2022年12月18日検索)，https://www.mext.go.jp/a_menu/ikusei/chousa/1405977.htm

(4-1-3) 2006年当時，筆者は埼玉県富士見市の住宅地開発の変遷を調べており，地域の実情把握のために地元のNPO団体の活動に参加した。当NPO団体では，地域の環境保全，防犯・防災，食育など幅広い活動を展開していた。この活動では，多様な人々との交わりの中から，教科書では得られない学びや気付き，スキルを身に着けることができた。「地域は最良の教科書である」という筆者の教育理念の基礎を学んだ貴重な体験であった。

(4-1-4) 宇都宮市北西部で産出される大谷石の歴史・文化の学際的研究と大谷石景観の保護やその啓発活動を行う市民団体である。会員数は100名を超えている。筆者は2019年度より当NPOの理事を務めている。

(4-1-5) この発言は，筆者を批判するものではなく，むしろ筆者が共に汗をかいて協力することへの感謝の言葉の中の一部分である。

(4-1-6) 学生が地域に迷惑や失礼な態度をとった場合には，筆者は即座に謝罪に向かう。そうした姿勢が更なる信頼や関係性向上につながる。

(4-1-7) 筆者は，イベントなどを行う際，必ずプレスリリースを作成する。それを市役所の記者クラブに配布する。どうしても取材してもらいたい事業の場合には，直接記者に電話で依頼をする。プレスリリースは遅くても，早くても良くない。また，選挙など優先事項の高いイベントがある場合は，取材に来てもらえない可能性が高いので，それらも考慮することもある。

(4-1-8) 栃木県内の大学や短大，高専等が加盟し，相互の交流と連携を図る組織。

(4-1-9) 「地域活動は意味がない」というのは一般論である。筆者は，地域社会貢献活動が自身にとって利益がないとは考えていない。地域は社会経験や知識に乏しい筆者に様々な知見や経験を与えてくれる。また，地域の人たちから必要とされ，感謝されることはどうれしいことはない。また，学生たちとの活動によって地域が少しずつ変化する様を目の当たりにすることにある種の快感を覚える。地域活動は筆者にとっての一つの楽しみとなっている。

（西山弘泰）

第2節 創造都市実現に向けて生涯活躍する人創り

2.1 はじめに

　作新学院大学（以下，本学とする）は，文化の香る創造都市の創生に向けて，市内の4私立大学，協力校の宇都宮大学と連携し，創造都市実現に向けて様々な活動を展開している。本学は，高等教育機関として，わが国の，人生100年時代，一億総活躍社会，の指標を基に，「生涯活躍する人創り」を掲げ，人材育成と地域貢献の実現を目指している。そして，これを丁寧な教育研究により，本学のブランディング戦略として推進していくことを創造都市実現の目標にしている。本節では，本学がこのブランディング事業を教育研究の事業方針とし，この内容を明確にし，さらに，これを実現するための戦略，組織，推進方針，その事業方針がもたらすステークホルダーへの貢献などについてその企画を紹介する。そして，ここで述べたブランディング事業を通した教育研究の実際例を参考に，生涯活躍する人創りを論じる。

2.2 大学の中長期目標を基盤にした「生涯活躍する人創り」教育研究事業方針

　わが国は，現在，人生100年時代，一億総活躍社会，と言われ，全ての年代で生涯にわたっての社会的活躍，いわば「生涯活躍」が期待されている。すなわち，幼児から高齢者までが元気で，生涯を通じて活躍でき，社会に貢献し，健康社会が実現できる生き方を探求することが，緊急，かつ，必須の状況にあると捉えることができる。

　作新学院大学は，この観点から地域の人材育成を主軸に，大学の特徴となる教育研究のブランディング事業を企画する。目的は，学長主導の基，将来ビジョンのひとつとして，本学の建学精神である「作新民」を掲げ，その延長線上にある，全ての年代にわたって，地域社会の人々が生涯を通じての活躍できるクリエイティブな人材，いわば「生涯活躍」できる人を創り，この活動を通じて，地域社会に広く貢献することを目指すことにある。そして，

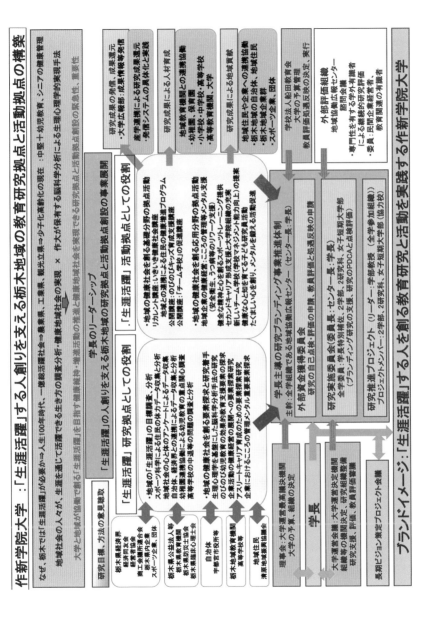

図4-2-1　創造都市実現に向けて「生涯活躍」する人創り

この事業の成果による貢献を通して，地域に提供する大学の教育研究基盤の特色を，経営，教育，生理心理学，スポーツ，健康経営，さらにリカレント教育（生涯学習），というキーワードで表現できる教育研究活動を実践する事業方針に位置づけることとする。

2.3　「生涯活躍する人創り」を目指すブランディング事業方針

特色ある本学のブランディング事業は，以下の事業方針に基づき，戦略を企画し，事業を推進していく。人材育成と事業方針戦略の概念図を図4-2-1に示す。以下，概念図について説明する。

まず，縦軸は，学長のガバナンスによる事業方針戦略のシナリオを示す。学長による決定から，プロセスの実行，第三者の諮問機関による評価検証，成果のまとめである。

横軸は，地域の自治体，産業界，自治会等の地域や地域住民などの意見を広く求め，これを本学で実行し，この成果である人材育成を本学のステークホルダーである地方の組織にフィードバックし地域に貢献する，とのブランディング遂行方針の仕組みと人材育成の成果方針を示している。

また，下段の左右は，このブランディング事業の評価システムである。本企画の提案の仕組み，その実行による本学の推進の妥当性，地域貢献の状況などのアカウンタビリティーの検証を行う組織を示している。

以下に図示したとおり，学長主導の基に，戦略を構築し，事業を企画する組織，推進する組織，その事業を評価し，諮問する組織を構築し，さらに人材育成の成果を地域に貢献するための仕組みを企画している。この組織によりブランディング事業の活動を実施していく。

2.4　ブランディング事業推進の戦略方針

本節では，この方針に基づく「生涯活躍」の人創りの教育研究と活動実践できる拠点化構想を目指す事業構想の概念図を図4-2-2に示し，このブランディング事業戦略について述べる。

①建学の精神に基づく基本的方向性の確認

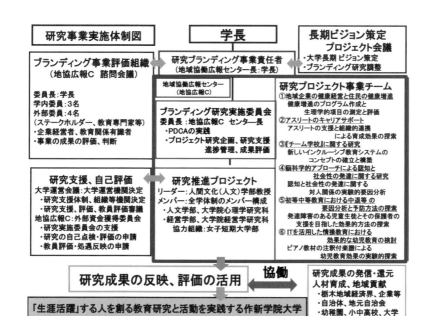

図4-2-2　事業実施体制とブランディング事業プロジェクト

　作新学院は，建学精神の経緯から，地域社会が抱える課題に向けて主体的に取り組むことができ，創造都市実現を指向するクリエイティブな人材の育成，産業界や地域社会をリードする構想力と技術力を持った実務家の育成，等を基本的方針とし，これを社会に公表し，教育研究に取り組むこととする。

②建学の精神を踏まえた大学の将来ビジョンの実現に向けたブランディング戦略の構築

　建学精神である「作新民」に基づき，学長主導のもとに，長期ビジョン策定プロジェクト会議でこの事業を推進していく。そこで，この目標を達成するために，本学が保有する，経営学，スポーツマネジメント学，人間文化学，臨床心理学，脳科学などの各分野を連携させた形で，これらの特徴ある学術分野を探求し，実現していく。そして，この実践とその成果を追求するため本学が研究拠点と活動拠点の創設を図り，推進することとする。このプロジェクトの推進過程で，「生涯活躍」する人材を育成する。これが戦略である。

③ブランディング戦略の事業推進の基盤の確立

　　建学精神を踏まえ，地元，栃木県に基盤を置く地元大学であることか
ら，栃木県地域及び地域住民が「生涯活躍」できる人創りの研究とその
活動を通じて，健康な地域社会を創ることを目指す。さらに，現在の複
雑な人生環境を概観し，これからの人生の中での生涯にわたってはメン
タル的サポートが必要になる，と結論付け，以下に示す本学スタッフが
保有する卓越した知識と豊富な実績を基盤として事業を確立する。

③-1栃木県で卓越している本学の臨床心理学を教育基盤とし，脳科学的
　　アプローチの探求ができる教育体系を備え，かつ，この分野でのスタッ
　　フが充実し，豊富な実績を保有。

③-2スポーツ分野はもちろん，幼児から高齢者まで対応できる，生理心
　　理学を得意とするスポーツマネジメントを専門とするスタッフの充実。

④ブランディング戦略構想の明確化

　　本学が保有する②に上げた学術的実績をベースに，生涯活躍のための
環境を整備する。そして，栃木地域住民はもとより，幼稚園や小中高校，
大学生，栃木で活躍している企業人や各種団体職員などの経済界などと
連携し，研究成果を還元できるよう，このための研究拠点と活動拠点を
創生して，「生涯活躍」の人創りの教育研究と活動実践できる拠点化構
想を目指す。この戦略構想の概念図を図4-2-2に示した。この構想には，
人材育成を確実に実行できるよう，事業組織を管理できる組織構築と6
つの戦略目標を掲げて，事業方針を明確化させている。

2.5　事業方針を推進する教育研究環境の構築

本学は，臨床心理学を特徴とする人間文化学部，心理学研究科，そして，
企業や団体，自治体，などの実務経営の人材の育成を目指す経営学部，その
中に，生理心理学と融合したスポーツマネジメント学を目指すスポーツマネ
ジメント学科，さらに，大学院経営学研究科，などの特徴ある教育研究体系
を持っており，ブランディング戦略を推進し，「生涯活躍」する人材を育成
する教育研究環境は整っている。これをベースに，本事業で目指す「生涯活躍」
するための，栃木地域の健康的な心と体を育むための研究を実行していく。

さらに，創立以来30有余年を経ている本学は，現在までに栃木地域の企業や自治体，各種団体，小中高等学校で活躍している多くの人材を輩出し，また，教育研究成果を地域に還元し，産業界や教育界，金融機関，さらには，地域社会を先導する構想力と推進力を持った実務家の育成にも貢献してきている。これをさらに継続して充実し，確実に実践していくために，統括組織として，地域協働広報センターを設立している。この組織を通して，現在までに，またこれからも，地域との連携，地域への還元を実現し，本事業を推進していくための教育研究体制を構築し，人材育成を推進していく。

2.6　ブランディング戦略事業の成果で想定するステークホルダーへの効果性

本事業の成果により，ステークホルダーへのいくつかの寄与が考えられる。以下にこれについて述べる。

まず，教育研究機関としての受験生・学生への貢献がある。事前に依頼した調査アンケートの結果によると，高校や自治体からは，県内での心理生理学分野での知名度が高いこと，この分野での県内唯一の教育体系を備えており，高等教育研究機関としての役割が期待されていることがある。また，経営学分野では，栃木県で唯一の博士課程を備えており，これからのグローバルな企業経営の評価に連なる博士（経営学）の学位授与ができる大学となっている。一方，女子短期大学部の幼児教育においては，充実した教育体系であること，ピアノ実技を通したメンタル的な情操教育の効果があることを回答している例もあった。これらの点からは，現在のわが国では，実務的な専門性と，メンタル的なサポートが実践できる生理心理学が必要であることがこの結果から分かった。この意味で，「生涯活躍」の原点である，幼児から小中学校の教育には，本学が教育体系を備え，充実したスタッフを保有する本学のブランディング戦略による効果性が伺える。

次に，学生の就職先となる地域企業への効果性がある。アンケート結果からは，栃木県における唯一の臨床心理学の分野の教育体系を備えていること，今後メンタルを重視する社会で必要となる国家資格の公認心理師の取得が目指せること，また，臨床心理士が取得できること，さらに，本学を巣立った

卒業生達は，この分野で活躍している優秀な人材と認識されていること，などが伺える。また，本学で特徴とするスポーツマネジメント学科については，スポーツ関連企業，スポーツ団体などにおけるスポーツ心理学をベースとしたアスリートの活躍期待や経営的センスを備えた経営幹部としての人材育成への期待もある。同時に，心理学によるメンタル面でのゆとりのある企業人の活躍，健康企業経営等も期待していることがこのアンケート結果から伺える。

　また，地域住民などに関する回答，面談からは，元気な高齢者，豊かな社会生活が求められていることが分かった。そして，このための心理生理的な面でのサポートの必要性も求められていることも分かった。これらの考察結果から，この研究に求められている効果性を実現するため，本研究の進行に伴って，地域の自治会との連携により，新しく，「作大いきいき健康生活講座」と幼児向けの「作短わくわくキッズ育成講座」を企画した。この企画により，本研究の効果性がさらに向上できることが期待できる。

　最後に，学術面では，本学では，臨床心理分野，健康増進プログラムとその評価の研究，高校中退の予防に関する研究，子供の社会的情動に関する分野で，多くの科学研究費に採択されており，この分野での実績と同時に，学術面でもこれらの研究成果による本学のブランディングイメージの高揚に寄与することが期待できる。さらに，スポーツマネジメントの分野では，アスリートの人材育成，その人材をマネジメントできる経営学，などの期待もあり，この面でステークホルダーへの効果性も期待できる。

　以上に述べたように，本事業のステークホルダーに関するアンケートや面談などから，その必要性，効果性を認識し，ブランディング研究としての意義と本学の教育研究発展に伴って，今後も益々本研究の成果として，健康で豊かな創造都市化が実現する地域社会の構築に役立つことが期待できるといえる。

　この方針を踏まえ，本学は，将来に向けて，学生，保護者，高校関係者，地域の人々，さらに企業や自治体等に信頼される大学を目指していく。そして，この延長線に，創造都市実現に向けて生涯活躍する人創りの方向性がある，と考えている。

2.7 事業実施の目的と推進

事業を確実に実施していくために，ブランディング研究実施員会を企画し，この組織を中心に，実施方針，実施組織，目標の策定，具体的実施策は以下のように定めることとする。

2.7.1 事業推進方針

以下の方針に基づき，事業を改革実行していく。

①組織体制の構築による具体的活動記録の計画と策定を行う。

②事業推進プロジェクトの効果的な体制を実施するため，事業のマイルストーンによる的確なプロジェクト管理とチームの適宜編成を行う。

③具体的事例の実践の加速推進を図るため，本事業の研究成果を公表し，方向性の見直しを得る機会を得ながら地域貢献を目指し，シンポジウムなどを企画し，広報する。

④地域に貢献し，産学官金，自治体等との連携強化を図り，地域への貢献を目標に，地域住民との協働を積極的に図ることを目指す。このために，地域協働広報センター，広報室などと密接に連携し，事業を実施していく。

2.7.2 事業実施のための組織体制

創造都市実現に向けて生涯活躍する人創りの事業実施体制の構成と役割について以下に述べる。

本事業の運営実施体制は，全学の組織であり，本学の地域貢献，地域人材育成を目指している地域協働広報センターが中心的な役割を担っている。また全学的に事業を遂行し，かつ，この事業を実施していくプロジェクトの企画運営，研究実施に伴うPDCAのチェックを兼ねる研究実施委員会，さらに，この組織の業務を全学的な協力体制として支援するために，大学運営会議による審議を行う組織として構成させていく。加えて，この事業のアカウンタビリティーを保証するため，外部からの専門的な知識を保有する企業団体等の有識者，さらには教育関係の専門家を中心とした地域協働広報センター諮問会議を設け，このプロジェクト遂行をあらゆる角度から支援，評価，検証

を行い，学長に報告していくこととする。

2.7.3　教育研究目標の策定

本事業は，「生涯活躍」の人創りを支える栃木地域の研究拠点と活動拠点の創設，をテーマに，図4-2-2に示すように，6つのチームからなる事業を想定している。

- ●事業1：地域における企業の健康経営と住民の健康増進：「健康増進プログラム作成による測定と評価」
- ●事業2：アスリートのキャリアサポート：「アスリートの支援と組織的連携による育成効果の探索」
- ●事業3：『チーム学校』に関する研究：新しいインクルーシブ教育システムのコンセプトの確立と構築」
- ●事業4：脳科学的アプローチによる認知と社会性の発達に関する研究：「認知と社会性の発達に関する対人関係の実験的要因分析」
- ●事業5：初等中等教育における中退等の要因分析と予防方法の探索：「発達障害のある児童生徒とその保護者の支援を目指した効果的方法の探索」
- ●事業6：ITを活用した情操教育における効果的な幼児教育の検討：「ピアノ教材の注釈付楽譜による幼児教育効果の実験的探索」

2.7.4　確実に実践する仕組み

以上に述べてきたことを参考に，大学の使命・目的を踏まえて，事業を確実に進めるため，下記の事業実施戦略を定めた。

まず，地域連携，地域支援の方針を掲げ，この方針に沿って，中心となる地域協働広報センターのミッションを明確化し，さらに，これを確実に実行するための組織としてセンター内に，事業指針のためのプロジェクト組織の構築を企画する。さらに，本ブランディング事業は，アカウンタビリティーを厳格に監査監督するための組織として，関係者とは別の組織である，諮問会議，を立ち上げ，この会議により，プロジェクトのミッションに沿って確実に使命を果たしているか，またその状況には不明瞭な点，不正な点はないか，などを監査監督できる組織を備える。これに基づき，大学の使命・目的

に基づいて独自に設定した基準による業務遂行とその支援を実行するための戦略を企画している。

　この方向から，大学全体の活動実績の把握に努めるとともに，その周知を図り，教職員の地域連携支援活動の一層の支援推進を果たすことを任務とする。

　一方で，ブランディング教育研究事業の活動内容は，地協広報センターのミッションに沿った項目に従って，センターとの協働により大学全体から様々な取組を行うこととしている。また，各大学院，各学部，各学科，学内施設，においても，地域連携と地域貢献，社会貢献を目指した協働活動を充実させ，本事業を遂行していく。

　なお，本学は中長期目標として，第1に掲げている，「世界的視野に立ち，地域社会に貢献することで，人類の福祉に貢献できる人材」を目指している。さらに，目標を具体的に実現するための施策として挙げている「実学を重視し，地域社会と世界をリードする人材の育成の拠点を目指す」との方向性から，今後5年間の様々な地域貢献の施策を検討し実践していく。そして，このブランディング教育研究事業を，地域協働広報センターのミッションに沿って本事業と協働し，組織的，計画的に地域連携，地域支援を確実に推進し，このブランディング事業を確実に実践していく仕組みとしていく。

2.8 ブランディング事業の教育研究の実際例

　ここでは，実際に推進しているブランディング戦略の実践例による人材育成の一部を紹介する。

2.8.1　俯瞰的視点と主観的視点を併せ持つ人材育成 (4-2-1〜4-2-8)

　本学のブランディング事業では，「生涯活躍」する人材の育成に焦点を当てているが，先行き不透明なVUCA 註4-2-1) 社会において「生涯活躍する人」とはどのような人材だろうか。これからの社会では，明確なゴールに向かって人々が邁進するのではなく，明確な正解が無い中で人々が個性を際立たせ，柔軟かつ多様なゴール設定と達成へ向かうことが求められる。そして，このような社会に生きる人々は，論理的思考をもって細かい視点で自己や社会を

掘り下げるだけでなく，その全体像を高い視点で捉えながら独創的思考をもって行動する必要があるだろう。したがって，生涯活躍する人とは，主観的視点（虫の目）と俯瞰的視点（鳥の目）をバランスよく活用し，行動に移すことができる人材と考えられる。しかしながら，激しい競争にさらされ日々忙しく過ごす現代人は，様々な理由で主観的視点が優位となり，俯瞰的視点に乏しいと言える。そこで本学では，2021年度より，俯瞰的視点が感情制御に与える影響に関する研究プロジェクトを開始した。本学人間文化学部および心理学研究科では，根幹をなす臨床心理学とともに，脳波を用いて人の心のプロセスを検討する脳科学的研究が行われてきた[4-2-6]。脳波とは，脳内の神経細胞間の情報伝達において生じる電気的変動を，頭皮上に装着した電極から記録したものである。実験参加者が特定の課題を行っている間の脳波を記録することで，行動や主観的経験には表れない注意・記憶・意思決定・感情などの心的プロセスのはたらきを検討することができる[4-2-5]。

　本研究プロジェクトでは，感情制御機能に焦点を当てる。感情制御とは，個人が自身の感情をいつ・どのように表すかを意識的（または無意識的に）調整することである[4-2-2, 4-2-3]。我々は，日常の様々な出来事に対して感情を経験するが，良好な対人関係を形成し，維持しながら社会に適応するためには，経験する感情をそのまま表出することは望ましくない。その一方で，不適切な感情制御は精神的健康に悪影響を与えることから[4-2-1, 4-2-7]，自身の感情状態や周囲の状況を広い視野で捉えることが重要である。後期陽性成分（Late Positive Potential：LPP）と呼ばれる脳波の成分は，個人に生じる感情の喚起度合いや制御プロセスの評価に有効である[4-2-4, 4-2-8]。実験では，参加者に感情を喚起する画像を呈示し，画像注視中のLPPを測定する。そして，個人に生じる感情と個人の間の心理的距離を広げることで参加者に俯瞰的視点を持たせ，感情制御プロセスに与える影響を検討する。

　本研究プロジェクトは，上記の研究を皮切りに，多角的な手法を用いて俯瞰的視点が感情制御機能に与える影響にかんする基礎的知見を蓄積する。その際，一般的には大学生のみを対象として行われる脳波実験を，宇都宮市内の子どもから高齢者までを対象として実施することで，その応用性を高めていく。さらに，本学における臨床心理学と脳科学の融合により，俯瞰力を高

める臨床的アプローチ（例：俯瞰的視点を養うマインドフルネス認知療法など）
を取り入れ，実証データに基づく臨床実践の推進を目指す。

註4-2-1) V (Volatility：変動性)，U (Uncertainty：不確実性)，C (Complexity：複
雑性)，A (Ambiguity：曖昧性)

（村田明日香）

2.8.2 「スポーツの作大」というブランドの創出に向けた取り組みと人材育成[(4-2-9〜4-2-20)]

　2013年に4つのプロスポーツクラブ（宇都宮ブレックス，栃木サッカーク
ラブ，宇都宮ブリッツェン，H.C.栃木日光アイスバックス）と作新学院大学
は連携協定を締結し，産学官連携によるプロスポーツ振興「栃木モデル」構
築に向けた研究会が実施され，様々な議論を重ねてきた[(4-2-17)]。この研究会
を通じて得られた成果として，菅谷たち[(4-2-18)]は「地域貢献活動」や「ファン
獲得」など協力できることは協力していこうという協力体制の合意が形成され，
作新学院大学と4つのプロスポーツクラブによる共同イベント，すなわち地
域貢献活動が開催されたと述べている。こうした経緯から，作新学院大学，
とりわけスポーツマネジメント学科（以下，「スポマネ」と略す）ではプロス
ポーツクラブと連携したイベントの開催，プロスポーツクラブのスタッフを
招聘した講義の実施や学生ボランティアの体験，プロスポーツクラブの観戦
者調査など様々な取り組みを実施している[(4-2-17)]。こうした取り組みを通じて，
学生は卒業後のキャリアに役立つスキルを学んでいる。また，宇都宮ブレッ
クスはグループ会社としてアスリートの引退後のセカンドキャリアを支援す
る人材紹介会社，株式会社ブレックス・アスリートキャリア・マネジメント
という組織を設立した。この組織は，アスリートのみならず，大学運動部に
所属する学生のキャリア支援にも注力しており，本学の部活動に所属する学
生のキャリア形成のサポートを受けている。
　本学において，ブランド力を効果的かつ効率的に向上させられる分野の1
つとして，スポーツがある。本学におけるスポーツ，とりわけ部活動は「スポー
ツの作大」というブランドを構築するべく強化をはかっている。中でも硬式
野球部，サッカー部，陸上競技部，バドミントン部，自転車部は本学の強化

部に指定され，様々な支援を受けている。最近では，本学からプロスポーツ選手が誕生するなど，学生のキャリア形成にも寄与している。

　一方，プロスポーツ選手としてのキャリアを歩むことができる学生は限られているのが現状である。そのため，それ以外の学生をどのように指導し，部活動をマネジメントするべきかの検討が必要である。そこで，部活動を指導する指導者たちを一堂に会して「作新学院大学監督・コーチカンファレンス」を実施することとした。第1回は，2021年8月24日に「運動部活動におけるマネジメント」をテーマとして実施され，部活動に関する最新の研究について紹介した。具体的には，大学運動部における指導者の行動を捉える概念として「指導者行動」が存在する[4-2-16]ことが紹介された。この指導者行動は，「競技指向（リーダーとしての行動）」，「教育指向（教育者としての行動）」，「組織指向（管理者としての行動）」という3つの行動次元から構成され[4-2-16]，この指導者行動が学生の生きていくために必要な能力とされるライフスキルや試合場面において必要である心理的競技能力に様々な影響を及ぼしていること[4-2-15]について紹介された。また，ライフスキルの獲得は卒業後のキャリアにも何かしらの影響を及ぼしている[4-2-20]ことも紹介し，様々な学生のキャリアを豊かにするためには，ライフスキルを獲得するために3つの指導者行動を積極的に取り入れる必要があるという説明がなされた。

（斉藤麗）

2.9　おわりに

　本節では，本学が目指す「生涯活躍する人創り」を掲げ，人材育成と地域貢献の実現を推進している内容と実際の状況を記した。この教育研究事業を実践していく事業コンセプト，その具体的内容，得られるステークホルダーへの効果，さらに実際に推進している2つの教育研究の事業実例を述べ，創造都市実現に向けた本学の内容として紹介した。これを参考に，これらの戦略に沿って事業を実現し，地域に根差し，地域の人材育成と地域発展を目指す教育研究機関として，本学はこの教育研究ブランディング事業を確実に実行し，創造都市実現を推進していく人材育成を図っていく方針である。

【参考文献】

(4-2-1) Garnefski, N., Kraaij, V., & Spinhoven, P. 'Negative life events, cognitive emotion regulation and emotional problems.' "Personality and Individual Differences", 30, pp.1311–pp.1327. (2001)

(4-2-2) Gross, J.J. "Handbook of Emotion Regulation". New York: Guilford press. (2007)

(4-2-3) 村田明日香「第Ⅱ部3章 感情制御の文化差」飯田沙依亜・榊原良太・手塚洋介 (編) 有光興記 (監)『感情制御ハンドブック』北大路書房. pp.28–pp.36. (2022)

(4-2-4) Olofsson, J.K., Nordin, S., Sequeira, H., Polich, J. 'Affective picture processing: an integrative review of ERP findings' " 'Biological Psychology", 77 (3), pp.247–pp.265. (2008)

(4-2-5) Picton, T. W., Bentin, S., Berg, P., Donchin, E., Hillyard, S. A., Johnson, R., Jr., Miller, G. A.,Ritter, W., Ruchkin, D. S., Rugg, M. D., & Taylor, M. J. 'Guidelines for using human event-related potentials to study cognition: recording standards and publication criteria'"Psychophysiology", 37, pp.127-pp.152. (2000)

(4-2-6) 杉野信太郎・松本秀彦・田中見太郎 他「他者行為理解に関わる脳内プロセスの生理心理学的検討：行為の意図性が脳波のMuリズム抑制に及ぼす影響」『作大論集』5, pp.99-pp.113. (2015)

(4-2-7) 浦野由平・菅沼慎一郎「対人的感情制御が認知的感情制御と抑うつ・不安の関連に及ぼす影響」『感情心理学研究』, 26, pp.53-pp.61. (2019)

(4-2-8) Murata, A., Moser, J.S., & Kitayama, S. 'Culture shapes electrocortical responses during emotion suppression' "Social cognitive and affective neuroscience", 8 (5), pp.595-pp.601. (2013)

(4-2-9) (株)ブレックス・アスリートキャリア・マネジメント (online), (株)ブレックス・アスリートキャリア・マネジメントHP (https://brex-acm.com/. 最終閲覧日：2021年9月5日)

(4-2-10)「プロスポーツ振興「栃木モデル」構築に関する研究会」第6回資料 (2014)

(4-2-11)「プロスポーツによる地域活性化と行政の役割」(宇都宮市)

(4-2-12)『プロスポーツ振興「栃木モデル」構築に関する研究会報告書』(2015) 作新学院大学経営学部

(4-2-13) 作新学院大学 (online) 作新学院大学HP (https://www.sakushin-u.ac.jp/index. php 最終閲覧日：2021年9月8日)

(4-2-14) 作新学院大学インナー研究会資料 (2014)「宇都宮ブリッツェンのチーム概要と現状課題」

(4-2-15) 斉藤麗 (2021)「大学運動部における指導者行動の探求：個人スポーツ種目をてがかりとして」(早稲田大学大学院スポーツ科学研究科博士論文)

(4-2-16) 斉藤麗・木村和彦・作野誠一 (2021)「大学運動部における個人スポーツ種目の指導者行動に関する研究：質的調査による仮説構造の検討」『体育経営管理論集』, 13 (1)：pp.1-pp.19.

(4-2-17) 斉藤麗・関根正敏・石川智・小山さなえ (2021b)「地方都市における地域密着

　型プロスポーツクラブの経営実態：栃木県をホームタウンとする4クラブの基礎資料」
　『山梨学院大学スポーツ科学研究』(4)：pp.69-pp.82.

(4-2-18)菅谷美沙都・関根正敏・小山さなえ(2019)「地方都市におけるプロスポーツク
　ラブの連携」『体育経営管理論集』11：pp.17-pp.30.

(4-2-19)『下野新聞』(2013)「作新大と4プロが協定　交流深め地域活性化」(2013年9月
　24日)

(4-2-20)山本浩二・島本好平(2019)「大学生柔道選手におけるライフスキル獲得がキャ
　リア成熟に及ぼす影響」『体育学研究』64：pp.335-pp.351.

（春日正男）

172

第3節　芸術が引き出す創造都市への挑戦

3.1　はじめに

　今般のコロナ禍で，音楽や演劇などのライブエンターテインメントの世界
は，観光業と並んでもっとも打撃を受けているといえる。平田オリザ氏[(4-3-1)]
によれば，彼や野田秀樹氏，宮本亜門氏，西田敏行氏といった人たちがテレ
ビで演劇界の窮状を必死で訴えたが，ネットには，いままで好きなことをやっ
てきたのに，勝手なことを言うなといった批判が出てきたそうである。観光
業に対しては，政府がこれまでインバウンド政策を推進してきたこともあり，
「Go To トラベル」というかなり大きな支援策が打ち出されたが，芸術家に
対する支援策を主張した政治家は少なかった。ドイツでは，同じコロナ禍で
ロックダウンのために国民への給付金が申し込み後2日ほどで振り込まれた
という。コロナ禍における政府の対応として給付金の額もスピードもドイツ
はわが国を大きく上回るが，さらにドイツではミュージシャンなどのフリー
ランスの芸術家に対しても充分な給付金が支給されたという。日本での文化，
芸術に対する社会的評価の低さが浮き彫りになった出来事と言えよう。芸術
は不要不急のものであり，コロナ禍のような緊急事態では後回しにせざるを
得ないが，だからこそアーティストを（公費を使ってでも）支援しなければ
ならないという趣旨の意見を識者が新聞で述べていたが，そのことをわざわ
ざ訴えなければならない日本と，常識として根づいているドイツとの文化レ
ベルの差を痛感した。このような彼我の認識の違いは，これまで何度となく
スポーツにおいて感じたものと同質である。ヨーロッパではスポーツや文化，
芸術が人々の生活の一部であり必要不可欠のものと社会的に認知されている
が，日本ではそれらがいわば「贅沢品」で，経済的にゆとりがあればあった
方がよいが，なくても特に困らないものという位置づけのように感じられる。
　食えない職業の代表といえる「絵描き」を含む美術系に対する社会的評価
は，他の芸術文化とともに日本ではあまり高くないと考えられるが，近年，
クールジャパン戦略でアニメ，マンガ，ゲームなどが取り上げられたり，アー

トによる町おこしや地方活性化が進められ，成功事例も増えてきたり，地域再生の手法としてのソーシャルデザインが提唱されたり，様々な課題解決においてデザイン思考が注目されたりしており，美術の力が社会から期待されていることも事実である。芸術の社会的評価を上げるために美術大学にできることは，地域社会の課題解決に貢献し，有為な人材を数多く輩出することと考えている。

　大学の社会貢献と人材育成が，本節で筆者に与えられたテーマであるが，宇都宮の創造都市化に果たす芸術の役割を考察するにあたり，まず宇都宮市の戦後の歩みと宇都宮の文化レベルについての私見を述べることから始める。次に，筆者が数年前に訪れた金沢の魅力について，元金沢市長の山出保氏の書物を紹介しつつ，その理由を考えてみる。金沢についての考察では，宇都宮が自ずと比較対象となるので，宇都宮の創造都市化において目指すべき方向性が議論の中で浮かび上がってくると考える。そのあとに美術教育が現代の日本社会においてもつ意義を述べて議論をまとめる。

3.2　宇都宮の戦後を振り返って

　古くから交通の要衝で，宿場町として栄えた宇都宮は，二荒山神社の門前町（鳥居前町），城下町，そして戦前は軍都としての顔ももっていたが，第二次世界大戦末期（1945年7月12日）の宇都宮大空襲で旧市域の約65％が焼失してしまった。しかし，宇都宮はこの状況から戦後急速に復興を遂げ，現在までに発展した。ここでは1959年宇都宮生まれ，宇都宮育ちの筆者が物心ついた1960年代以降を中心にその歩みを振り返ってみる。

　筆者は京都と東京で過ごした7年間の大学時代を除けば，50年以上宇都宮で生活している。家族などからの伝聞を含めると，約1世紀に渡る宇都宮の歴史に接してきたことになる。例えば，祖母から幼少期に聞いたものでは，1923年の関東大震災の時に南の地平線が赤く染まっていた（東京での地震後の火災が100キロ離れた宇都宮からも見えたのである！）という話しが印象に残っている。当然ながら昭和1桁生まれの両親からは戦争中の話しを子どものころよく聞かされた。筆者の古い記憶には，幼い頃に二荒山神社の前の通りで傷痍兵が物乞いしている光景のような戦後の雰囲気を色濃く残してい

るものもあるが，筆者の子ども時代は高度経済成長期に当たるので，道路が舗装され，自動車は増加し，バキュームカーは下水道の普及とともに消えていき，デパートや小中学校など，鉄筋コンクリートの建物がどんどん建てられるという宇都宮の都市としての急速な発展に関わる記憶も数多い。筆者のこれまでの63年の人生の前半約30年には高度経済成長期や80年代後半のバブル期があり，70年代に2度の石油危機はあったが，日本経済が好調な時期に重なっていた。エズラ・ヴォーゲル氏の「ジャパン・アズ・ナンバーワン」が出版され，日本でベストセラーになり，今で言えばアップルのiPhoneのように世界に衝撃を与えたソニーのウォークマンが発売された1979年あたりが日本経済のピークであったと思っている。一方で，後半の30年間はほぼバブル崩壊後にあたり，日本経済の停滞は目を覆わんばかりであった。「失われた10年」はいつしか失われた30年になってしまった。現在中国の名目GDPは日本の約3倍に迫っており，イタリアや韓国にも一人あたりのGDPで追い越された状況は，高度経済成長期を知る筆者には驚き以外の何物でもない。宇都宮の戦後の歩みも，日本の戦後の経済の動向と連動していると言って良いと思う。

　さて，宇都宮の戦後の歩みをいくつかの指標で振り返ってみることとする。これは下野新聞社（2016）などを参考とした[4-3-2]。まず，最も基本的と言える人口は，2008年に合併した河内町，上河内町を合わせた総人口でみると，1960年26.2万人，1970年32.4万人，1980年40.9万人，1990年46.5万人，2000年48.8万人，2010年51.1万人，2020年51.9万人と推移している。なお，総人口は2018年をピークに既に減少に転じており，2050年の人口は45.0万人と予想されている（2014年推計[4-3-3]）。現在と比べ，約10％の減少で，郡部に比べればあまり大きな変化はなく，少子高齢化の影響は限定的なように見える。しかし，年ごとの推移を見ると2050年でも下げ止まりの兆候は見られず，年齢構成を考えれば，現在でも旧市内の住宅地では高齢者の一人暮らしが多く，空き家も増えてきているので，少子高齢化は宇都宮にとっても喫緊の深刻な問題と言えることをここで補足しておく。

　次に，交通インフラの整備状況からみると，東北新幹線は1982年に大宮−盛岡間が開業，1985年には上野−大宮間が開業し，宇都宮から東京までつな

がった。東北自動車道は岩槻IC－宇都宮IC間が1972年に開通している。新4号バイパスの石橋宇都宮間は1984年に開通した。全国でも珍しい宇都宮環状道路（総延長34.4km）は1996年に全線開通した。宇都宮の交通インフラは充実していると言えるが，過度に自動車に依存した社会システムが今後どうなっていくのか，まちづくりにとって大きな課題であることは間違いない。

　さて，次に市内の公共施設に目を転じてみる。公共施設として現在あるものは，栃木県立図書館新館が1971年，栃木県立美術館が1972年，栃木県立博物館が1982年，栃木県子ども総合科学館が1988年，栃木県総合文化センターが1991年，宇都宮市立図書館（現・中央図書館）が1981年，宇都宮市文化会館が1980年，宇都宮市立美術館が1997年にオープンしている。なお，現在の宇都宮市役所（16階建て）は1986年に新築されている。多くが1980年代に建てられており，バブル崩壊前のものである。オープン当初は立派な建物ができたという印象だったが，今では老朽化が進み，すでに改修工事が行われたものもある。1980年の「栃の葉国体」（第35回国民体育大会）の頃には公共施設や道路の整備以外にも，現在のJR宇都宮駅の東側が開発されだし，旧市内にはマンションも建ち始めた。当時学生だった筆者は，町中にも畑が点在しており，戸建ての住宅がいくらでも作れそうな宇都宮でマンションなど売れるはずがないと考えていたが，現在の宇都宮の様子を見れば，自分の不明を大いに恥じなければならないと感じている。宇都宮市は交通インフラや公共施設などのハード面では充実しているのと考えても良いといえる。ここで住環境に目をやると，宇都宮市が「住みよさ」ランキングでここ最近全国でも上位を占めている。このことには，上記のハード面での充実が大きく寄与しているのではないかと考えられる。また，栃木県の一人あたり県民所得は2020年度において350万円弱で，東京都，愛知県に次ぎ第3位である。以前からトップ10に入っており高所得の順位を上げているのだから，栃木県は経済的には安定的に裕福な県と言える。

　次に，ソフト面に目を向けてみる。筆者は宮っ子あるいは栃木県人としては，文化的なものや教育水準などにおいて自慢できるものがないという思いが強い。栃木県民で最近の若者には地元愛が強くなっているかもしれないが，多くの県民は概して筆者と同様に，自分の郷土の文化レベルについて引け目

を感じている人が多いのではないかと思っている。県外の人が栃木県の自然の豊かさをほめてくれても，筆者などは自然しかほめるものがない田舎ということだろうと自己卑下してしまう。また，関西人は東京でも関西弁で平気でしゃべっているが，筆者のように栃木なまりに恥ずかしさを感じている人は多いのではないかと思う。高等教育に関しても国公立の大学が一つしかない県は全国的に少なく，その中で栃木県は人口が最多である。さらに国公立の医学部のない県も珍しい。その分，私立大学の役割の重要性は高いと言える。マーケティングが専門の三浦展氏には，全国展開する小売業の店ばかりで「本物がなく」，若者に魅力がないのでどんどん若者が東京などの大都市に流出していく「ファスト風土化」する地方の代表例として取り上げられていた[(4-3-4)]。

　宇都宮の文化レベルという議論を本格的に行う準備は筆者にはできておらず，どうしても印象論に終始してしまうし，紙数にも限りがあるので，この問題には深入りしないが，個人的には非常に不満を抱いている部分である。しかし，不満やコンプレックスがあるからこそ改善へのモチベーションも湧いてくるので，安易な「宇都宮スゲー」よりは望ましい態度ではないかと考えている。

3.3　金沢市の魅力を考える

　筆者は，2017年8月初旬に石川県金沢市をはじめて訪れた。金沢市は，2015年の新幹線開通後に観光客が急増したことがマスコミで話題になっていたが，そのブームが落ち着いたころだった。目的は，息子の所属する学生オーケストラのコンサートを聴きに行くことだった。北陸は遠いというイメージがあったのだが，大宮から金沢までは速い新幹線で2時間ちょっとであっという間に着いてしまった。ホテルは駅と直結しており，目当ての石川県音楽堂は駅に隣接しており，メインホールは約1,500席で大田原市のハーモニーホールに似ているシューボックス型であり，邦楽ホールもあり，2021年から狂言師の野村萬斎氏が邦楽監督に就いている。1泊2日の短い日程であり，訪れたところも音楽堂以外では駅周辺，近江町市場や21世紀美術館など限られていたが，観光客にも利用しやすいバスから眺めた町並みは落ち着いて

風情があり，たいへん感銘を受けた。バスの窓から金沢出身の文星芸大1期
生で，学部，大学院，助手の12年間を文星芸大で過ごした荒木崇君のセン
スの良い紙文具店を見つけたことも金沢に好印象を抱いた理由かもしれない。
彼は大学コンソーシアムとちぎの学生＆企業発表会でも金賞を取ったほど地
域連携にも熱心であったが，宇都宮に戻って彼のお店のホームページをみる
と，小学校の図画工作の指導などにボランティアで参加しており，卒業生が
地元に根づいた活動をしていることを大変うれしく感じた。

　金沢には観光地として魅力的なスポットは多く，しかも一つ一つの場所に
はその歴史など語るべきことが豊富にあり，とても簡単には説明しきれないが，
その金沢の魅力の本質は，元金沢市長の山出保氏の『まちづくり都市　金沢』
を読むことによってよりよく理解できる。以下，山出氏の本文中の記述(4-3-5)
で印象に残った箇所を取り上げて，宇都宮市の振興を改めて考える意味で，
金沢の魅力を5つほど挙げてみることとする。

　①駅はまちの顔であり要

　　金沢駅の東口広場には街のシンボルともなる鼓門とガラスの大屋根があ
る。鼓門は伝統を，ガラスの大屋根はモダンなデザインで雨の多い金沢で
雨よけの機能を果たしている。また，人に優しい駅を目指し，宇都宮市な
ど比較的大きな都市ではよく見られるペデストリアンデッキを廃し，駅の
東西を地上で一直線に結ぶものにした。これら都市の基本設計に関しては
一般市民を入れて十分な話し合いを行っているのが印象的である。

　②武より文に重きを置いた

　　加賀百万石では江戸幕府から謀反との疑いの目を向けられないように学
問と美術工芸に力を入れたそうである。その結果が金沢美術工芸大学（都
市自治体が芸術大学を持っているのは京都と金沢のみ）や東京国立近代美
術館工芸館につながっているわけだが，それ以外にも金沢大学医学部は旧
六医専の一つであるし，旧制高校も四高というナンバースクールであり，
多くの学者，文化人を輩出している。文を重視したのは武を重視し，明治
維新では勇名を馳せた薩摩藩とは全く逆のスタンスであるが，そのおかげ
であるのか第2次世界大戦では空襲に遭わず，同じく空襲を免れた京都が
第1回の国体，金沢は第2回の開催地となった。400年間戦乱に巻き込ま

れなかった都市はヨーロッパではスイスのチューリッヒ，東洋では金沢市しかないので，金沢は平和を擁護しなくてはならないと金沢出身の文部大臣も勤めた永井道雄が言ったそうである。

③進取の気性

　金沢でも人気のスポットである「21世紀美術館」は伝統工芸ではなく現代アートの美術館である。しかし，税金を投入しているので，一般市民にも分かるように作品を説明することをアーティストに求めているそうである。新しいものを積極的に取り入れるのは京都にも共通しており，京都に古いものが残っているのは，最初に京都が新しいものを取り入れたからだと言われるが，好奇心が旺盛なところは京都と共通しているようだ。

④ヒューマンスケール

　金沢は非常に歩きやすい街で，山出氏は「ヒューマンスケール」と表現しているが[4-3-5]，「まちづくり」であって「みちづくり」ではないことを強調していた。昔ながらの町並みが多く残っていることも影響しているのではないかと感じた。

⑤自然の条件

　地形などの特徴を生かしたまちづくりがなされていることが詳細に説明されている。川や台地など巧みに利用していることが分かる。

3.4　宇都宮と金沢との比較

　ここでは，宇都宮と金沢を比較してみる。金沢の人口は46万人で，宇都宮に比べて面積はやや広く，人口密度はやや低い。街に風情があるのは空襲を受けなかったからだけなのか，あるいは計画的に古い建物を残し，全国チェーンの出店規制をしたからなのか，考えさせられる。前橋と宇都宮には同じようなロードサイドの風景が広がっているのだがそのことが街の個性を失わせている。駅はまちの顔というが，宇都宮駅はどうなのか考えてみたい。以前は醜悪な駅前の風景ワースト1であった。今はずいぶん良くはなったが，金沢に比べると機能性，センスともに劣るように思う。今度できるコンベンションホールに期待したい。加賀百万石と言われているが，実は120万石あったと金沢出身の方から聞いた。幕府ににらまれるから小さめに言っていたの

だと。真偽のほどは定かでないが，宇都宮はどのくらいだったかというと本多正純の時に15.5万石で，江戸時代後期の戸田氏の時は7〜8万石だったようだ。水戸藩が18万石であるが，茨城県の公共施設の方が立派に感じられるのはやはり御三家の格式が様々な面で明治以降も影響しているのかとも思われる。

　最後に，西洋史学の福井憲彦氏 (2021) によるパリの19世紀以降の芸術文化の隆盛についての考察を紹介する[4-3-6]。芸術文化を押し上げる力として，画商やコレクターなどの目利きがいたこと，異分野の交流が盛んだったこと，パリがコンパクトシティであったこと，都市空間自体の魅力があったこと，政権による芸術文化，歴史文化の重視があったこと (パリ万博という国家的イベントの果たした役割) などが挙げられている。また，別の切り口からパリという都市がヒューマンスケールであること，日常に文化的な会話があること，市民が芸術を楽しみ自由に語り合う関係性が継続することなど，市民社会の成熟も要因として挙げているのが注目される。

3.5　美術教育の現代社会における意義

　日本は1968年にGNP (国民総生産) で当時の西ドイツを抜き，世界第2位の経済大国になった。ちょうど1964年の東京オリンピックと1970年の大阪万博の間の高度経済成長期のまっただ中の時期である。おそらくそのあたりで教育のあり方も「後進国」的な追いつき追い越せのやり方から先進国的なものに変えなければいけなかったと考えている。日本の教育は欧米というお手本 (＝正解) があった時代はcatch up型で非常に効率が良かった。しかし，自分がトップランナーになってしまうと，もうどこにも模倣するお手本はないので，試行錯誤するほかないのであるが，それまでの成功体験が強すぎたため，今までのやり方を変えることはできなかった。50年経ってもオリンピックや万博に夢をもう一度とばかりに期待しているのがその証拠である。当時も進学率が高まり，受験競争が激化し，詰め込み教育の弊害が指摘されていたが，新しい時代の教育のイメージは湧きにくかったのだろう。PISA (OECDによる学力調査) で日本は最上位ではなくなったものの上位は占めているが，できない問題に対して全く答えない白紙の答案が多いという。できない問題

は捨ててできる問題に集中した方が効率が良いという点数を上げるためのテクニックであると思われるが，すぐに答えられない問題に試行錯誤して取り組む姿勢が希薄であると推測される。また，日本では「二二が四。二三が六」と答えれば「よくできました」となるが，学力世界1となったフィンランドでは「どうして（6なの）」と次の質問が来て，子どもたちは自分なりの答えを考えなければならない。数学でさえ答えは一つではないが，そのような思い込みがあり，膨大なインプットと瞬時の解答がワンセットとなり，答えを知らない問題には黙らなければいけないと考えているところが問題のようだ。さらに重要なことは，レイチェル・カーソンの『沈黙の春』のように，今までだれも問うたことのない問題を提起することなのである。美術教育はそのような学びの態度を身につけ，新たな分野の開拓に資するという理由で大変有効であるように思う。

3.6　おわりに

本稿を閉じるにあたって，最後に結論めいたことを一言述べたい。

筆者に与えられた紙数は尽きつつあるが，本章全体のテーマである「将来像」についてはまだ何も語っていない。過去や現状については語りやすいが，将来を予測するということは不可能に近い。おそらくAIやロボットがこれまで以上に生活に入り込み，デジタルトランスフォーメーションはさらに進み（DXに遅れを取っている日本はさらに没落する？），社会システムとしては経済学者の水野和夫氏が言うように [4-3-7]，利子率がゼロになり資本主義が終了し，「より速く，より遠く，より合理的に」が「よりゆっくりと，より近く，より寛容に」なる，との思いもある。資本の持つ制約条件としての性格は弱まり，アーティストや芸術家はニッチを見いだし生きやすくなるのか，興味を引く。また，エネルギーや食料の地産地消は進まざるを得ず，SDGsは現実のものとなるのか，よく分からないというのが正直な感想である。しかし，地域活性化に資する人材ということであれば，かなり確かな経験則がある。それは，「よそ者，若者，バカ者」である。もちろん「地元出身者，老人，賢者」からもリーダーは生まれる。先述の山出氏は金沢生まれ，金沢大卒，市役所勤務のあと市長を5期20年勤めた筋金入りのジモティーである。

しかし，我々は「よそ者，若者，バカ者」にフレンドリーであるかどうかを絶えず自問自答する必要はあると考える。そして常識外れの発想を否定せず，やる気をそがないオープンな態度，さらに言えば偏見や差別を減らすことが多様性を生かし，これからの社会で求められるイノベーションを生み出す最善の方法であるというのが筆者の結論である。

「よそ者，若者，バカ者」に住みよい宇都宮の実現を目指すことが重要であり，そのような地域は芸術家にも住みよいはず，だから，芸術家の人口あたりの割合が増え，文化のレベルも上がるのではないかと考えられる。文星芸大の卒業生には卒業後も宇都宮に住み，創作活動を続けている者も多いので，将来的に文星芸大の周りが芸術家村のようになるのが多くの教職員の願いであり理想である。

そして，地域の歴史，伝統，自然に根ざしたものを活用すればそれだけでアドバンテージがあるわけだから，それらを学び，研究することが重要である，と考える。例えば著名なシェフには吟味した地元の食材にこだわる人が多いが，そこでしか得られない食材というだけでオリジナリティが加わるのである。大学の教員，学生には地域を研究のフィールドにすることが自分の創り出す価値の源泉になることを理解し，そしてその成果を地域に還元することが求められていることを自覚すべきであると思っている次第である。

【参考文献】
(4-3-1) 平田オリザ (2021)「迫り来るファシズムの時代に―アートの役割とは何か」藤原辰史・内田樹ほか著『「自由」の危機～息苦しさの正体～』，集英社，pp.198-212.
(4-3-2) 下野新聞社編 (2016)『下野新聞で見る昭和・平成史Ⅱ　1952-2015』，下野新聞社
(4-3-3)「宇都宮市人口ビジョン」～100年先も誇れるまちを，みんなで。～(https://www.city.utsunomiya.tochigi.jp/_res/projects/default_project/_page_/001/009/833/vision.pdf)
(4-3-4) 三浦展 (2005)『検証・地方がヘンだ！，地方がファスト風土化し，液状化している！』，洋泉社
(4-3-5) 山出保 (2018)『まちづくり都市　金沢』，岩波書店
(4-3-6) 福井憲彦 (2021)『物語　パリの歴史』，中央公論新社
(4-3-7) 水野和夫 (2016)『国貧論』，太田出版

(丸山純一)

第4節 地域企業との連携による宇宙産業振興に関する取り組み

　帝京大学理工学部航空宇宙工学科は1989年に宇都宮キャンパスが設立された後，2001年に開設された。以来，航空宇宙に関わる先端技術の研究・教育に努めており，多くの卒業生を輩出した。また，2010年には全国でもユニークなヘリコプター操縦士を育成するヘリパイロットコースを立ち上げている。さまざまな取り組みがある中で人工衛星に関する研究は特色あるものであり，地域企業との連携により数々の成果を上げ，更なる発展を目指している。本節では，その挑戦の歴史を紹介する。

4.1 TeikyoSatプロジェクトの発足（2007～2010年度）

　帝京大学宇都宮キャンパスでは，宇宙機開発を通した「システム工学」，「ものづくり」，「プロジェクト管理」などの実務経験を学生が得ることを目的として，2007年に『TeikyoSatプロジェクト』をスタートさせた。プロジェクト発足当初は，地上検証用として空き缶サイズのいわゆる「CanSat」をTeikyoSat-1，およびTeikyoSat-2として製作し，GPSデータや加速度データの取得などを通して，基礎的な衛星機能の役割の確認を行った（図4-4-1）。その後，地上検証用ではなく本物の衛星を製作して打ち上げたいという学生たちの熱い気持ちに応えるべく，栃木県産衛星開発へのチャンレンジが始まった（図4-4-2）。

4.2 栃木県産衛星開発へのチャレンジー第1段（2011～2014年度）

　帝京大学が提案する『微生物観察衛星TeikyoSat-3』が，2011年12月にJAXAのH-IIAロケット23号機の相乗り小型副衛星の1つに選定され，2013年度の打ち上げを目指すことになった。TeikyoSat-3は，栃木県初（発）の超小型人工衛星であったことから，栃木県産衛星にすることに強いこだわりを

もって開発を進めようとしたが，県内企業に宇宙開発を経験した企業がほとんどなかったため，当時既に県内に根差していた自動車産業や航空機産業の技術を応用利用することで，衛星開発の加速と栃木県内の新規宇宙産業振興に貢献する方法を選択した。その結果，6社の県内企業に衛星部品の設計や加工，組み立てなどに携わって頂くことができ，100％全てを県内企業で作る純栃木県産衛星の実現はできなかったものの，最初の衛星としては高い

図4-4-1

図4-4-2

図4-4-3

割合で衛星開発に関わっていただくことができた。これらの成果は2014年2月28日のTeikyoSat-3打ち上げ成功に結び付いた（図4-4-3）。

4.3 栃木県産衛星開発へのチャレンジ—第2段（2015〜2021年度）

　2014年に打ち上げたTeikyoSat-3は，通信系のトラブルにより最後までミッションを遂行することができなかったものの，約2か月半の運用期間において貴重なデータを取得し続けることができた。この成果と衛星開発のノウハウをもとに，2015年度より『多目的宇宙環境利用実験衛星の開発』プロジェクトがスタートした。このプロジェクトは，平成27年度文部科学省私立大学戦略的研究基盤形成支援事業のテーマの1つとして採択され，近い将来に運用終了が予定されている国際宇宙ステーション（ISS）の後継，ポストISSとしての開発を期待されるプロジェクトとなった。このプロジェクトでは，TeikyoSat-3では実現できなかった100％栃木県産を目標に掲げて開発を行った結果，10社以上の県内企業に衛星部品の設計や加工，組み立てなどに携わってい頂くことができ，全部品の内，約70％のMade in Tochigiを実現させた。このようにして開発を行ってきた衛星TeikyoSat-4は，JAXAの革新的衛星技術実証2号機の実証テーマの1つに選定され，2021年11月9日に

イプシロンロケット5号機での打ち上げに成功した。打ち上げから1年以上が経過した2023年2月28日現在も毎日元気に宇宙空間からその電波を宇都宮まで届けてくれている（図4-4-4）。

図4-4-4 ©JAXA

4.4　今後の展望

　TeikyoSatプロジェクトは，宇宙開発活動について学生諸君に実地経験を得てもらうことを目的にスタートしたものであるが，可能な限り地元栃木県内の企業に開発の一部を担ってもらうことで，発展的に地域密着型のプロジェクトに移行することに成功したと言える。また，2機の超小型人工衛星の設計，製作，打ち上げの実績により，多くの知見，経験を得るとともに，開発に必要な設備を整えることができた。これらを帝京大学だけでなく，学外の企業や大学などの利用を促進するとともに共同研究のベースとするべく，2021年4月にキャンパス内に「宇宙機研究開発センター」を設立した。昨今，何かと耳にする機会が多くなってきている「宇宙ビジネス」について，地元栃木県，ひいては宇都宮市に根差した宇宙開発活動を通じて，宇都宮市に最先端の宇宙産業が振興するきっかけ作りを帝京大学宇都宮キャンパスが実施していくことで，宇都宮市の創造都市化をリードしていきたいと考えている。これらの取り組みをモデルケースとして成功させていくことで，地方都市としてのモデルロールを宇都宮市が担っていけるように継続した活動を行っていく。

（平本隆）

おわりに
—創造都市実現に向けた
創造都市研究センターの活動実績と将来展望

　宇都宮市創造都市研究センターは，「創造都市による発展で宇都宮都市圏の活性化を推進する」というコンセプトを掲げ，センターにおける活動を開始した。この「創造都市（Creative City）」とは，文化芸術と産業経済とが相互に絡み合う，創造性に富んだ都市を意味する。わが国では，文化庁が主導し，文化芸術の持つ創造性を地域振興，観光・産業振興等に領域横断的に活用し，地域課題の解決に取り組むことを目指している。そして，これに取り組む地方自治体を「文化芸術創造都市」と位置付け，創造都市の推進を図っている。わが国では，この創造都市への取り組みを促進するプラットフォームとして，2013年に創造都市ネットワーク日本（CCNJ）が設立された。この組織を通じて，わが国における創造都市の普及・発展を図る活動を推進し，現在までに，文化芸術創造都市推進事業として，国内の文化芸術創造都市間のネットワーク強化をはじめ，政策研究や意見交換などの取組を支援している。

　この観点から，栃木県宇都宮市でも，この目標である，文化芸術と産業経済の促進を目指し，文化の香る宇都宮市の創造都市実現に向けて，宇都宮市創造都市研究センターが発足した。おわりにあたり，このセンターの副会長として，創造都市実現に向けた今までの活動結果を，ここで改めて総括し，報告する。

　本書は，産学官民が連携して，この都市実現の活動を積極的に促進する可能性とその役割を検討した報告書である。そして，創造都市実現に向けて，センターの構成員として宇都宮市内の5大学（参加大学：宇都宮共和大学，作新学院大学，文星芸術大学，帝京大学宇都宮キャンパス，協力校：宇都宮大学）が連携し，さらに産学官民の連携により，現在までに実施してきた様々な地域活性化研究事例と研究プロジェクト班による創造都市への取り組みを報告してきた。この実質的な活動は，最高意思決定機関である運営協議会の基で，その下部組織である運営委員会がセンターの運営全般と推進するため

の事業の企画立案を行い，各種の活動を実行している。この運営委員会の中に，地域活性化プロジェクト班，大学連絡会議，地元就職支援センターが組織化されており，これらの組織が運営委員会の基で，いくつかの事業を推進している。なお，組織の透明性を図る意味で，アカウンタビリティの保証が重要であり，このために，事業実施評価委員会が事業全体の管理評価を行っており，センターの的確な運営に貢献している。以下，活動実績と将来展望について，概要をまとめる。

1　活動実績について

これまでのセンターの活動の成果として既に本文で述べたように，運営委員会の運営方針と推進する事業の企画立案に基づき，以下に示す多くの実績を残している。

1.1　地域活性化事業の推進

センター組織の地域活性化プロジェクト班が中心となり，地域課題解決のために，プロジェクトを組織し，組織主体として多くの活動を行っている。

(1) メンバーによる意見交換会の実施：まちづくりや地域活性化についての意見交換会を定期的に開催

シンポジウムや，公開講座などを通じて，意見交換によって諮問された内容について活動している。

(2) 創造都市化を推進するための企画の実施：クリエイターによる創造都市化に向けた審議と提案

宇都宮市内で活動するクリエイターの方たちから，創造都市化を推進するための審議を通じて，提案を行う。また，研究プロジェクトのメンバーとして，4大学から選出され，センターの学生研究員として委嘱された学生の指導を行い，学生たちのクリエイティビティーの向上を図っている。

(3) 創造都市研究ゼミ開催と事業推進：学生による創造都市化に向けた調査研究の遂行

連携する5大学から，各大学の専門性を生かした学生研究員が発足した創造都市研究ゼミに参画し，事業推進を行っている。地域活性化プロジェクト

班の教員，クリエイター，まちづくり推進団体等による指導支援の下に，創造都市化に向けた調査研究を行っている。

　以上，これらの実績の詳細は，センターのホームページで記載されており，3章でもその内容を紹介している。これらの活動を通じて，本センターのプロジェクトの多くの成果が地域の発展に寄与していくものと期待している。

1.2　大学連絡会議

　本会議は，高等教育の現状や課題に関する調査研究や提言などを行う目的で活動を行ってきた。活動実績で報告されているように，いくつかのFD・SD研修会を各大学主催で実施し，今後も課題解決のための活動を実施していく。

1.3　地域就職支援センター

　創造都市としての貴重な人材となる大学生の栃木県での就職支援，U/Iターンの促進を狙った活動を実施するものである。2022年9月には，地元宇都宮商工会議所との主催で，若者の地域就職支援に関する意見交換会を開催しており，今後も継続して実施していく。

2　将来展望

　創造都市実現のためには，まず，その発展に寄与する新たな多くの創造的企業と人材が必要である。この点から，起業のためのアントレプレナー研究会を継続展開し，引き続いて地域の起爆剤となる起業を目指していく。また，コロナ禍のために，停滞していた地元就職支援センターの活動を促進し，連携する5大学の教職員，地元企業，宇都宮商工会議所，宇都宮市が協働で公開講座や交流会を企画し，学生の就職紹介と支援，U/Iターンの促進を狙い，この組織の活性化を図っていく。さらに，大学連絡会議では，引き続いて，高等教育の課題解決のために，各種研修会を企画し，実行していく予定である。

　以上，本稿のまとめとして総括的に今までの活動実績と将来展望の概要を述べてきた。最後に，本稿を終えるにあたり，貴重な人材の育成を担う大学人として，人材育成の役割，特に人間としての人材育成について一言，私の

考えを以下に述べさせて頂く。

　現在進行している創造都市のプロジェクトの目標は，都市の発展となるまちづくりである。これには，その地域の産業の創業と振興，若者の定着促進とその活躍の場づくりであり，その原点は，人，つまり，人間性豊かな人材の育成であると私は考えている。私自身は教育学を専門とするものとして，人間は本来だれもが生涯学び続ける存在であり，それを様々な工夫をもって支援・援助していくことが教育の役割であると考えている。この観点から，文化の香る都市づくりと地域で生涯にわたって活躍する人材育成を担うこの宇都宮市創造都市研究センターの事業推進にあたり，この機会を借りて，主体的・創造的人間を育成していく重要な役割を担う観点から，大切な人をぜひ紹介させて頂きたい。それは，1968年に日本で初めて肢体不自由児養護施設「ねむの木学園」を創始した宮城まり子さんである。出会いから30年以上のお付き合いをさせて頂いた彼女は，まず「教育とは，子どもは誰もよく生きようとしている，だめな子なんて一人もいない」，という人間観に立っている。また，教育観として「教育とは，生きていくためのお手伝いである」，と主張している。さらに，そのための具体的な教育方針として，3つのI（愛），すなわち，Identity（自分をしっかりと見つめる），Inquiry（興味あることを探る），Interaction（助け合い，いたわりあって生きる）を掲げており，この場を借りて，この3つの言葉をぜひ紹介させていただきたい。それは，これらの言葉が，多様な学生の教育に携わる大学人として，とても印象に残る言葉であり，学生たちの人間力を育成していくために重要な言葉と捉えられると感じているからである。

　この創造都市研究センターの将来展望は，文化創造都市の興隆と輝かしい未来を担う若者，学生が活躍して，地域の発展に貢献することであると，私は考えている。それは私が常に，将来を担う学生たちを預かる教育者の一人として，人間重視の姿勢を大切にしていきたいと考えているからだ。人を創り，その人材により文化を創造していく，との意味から，このセンターが担う役割は極めて重要であり，大いに期待したいと強く思う。

（渡邊弘）

〈執筆者一覧〉 ＊執筆順

須賀英之(宇都宮市創造都市研究センター長・運営協議会会長，宇都宮共和大学長)

上野憲示(宇都宮市創造都市研究センター運営協議会副会長，文星芸術大学理事長・名誉学長，故人)

長島重夫(宇都宮市創造都市研究センター事務局長・運営委員会委員，文星芸術大学理事・芸術文化地域連携センター長)

渡邊瑛季(前宇都宮市創造都市研究センター運営委員会委員，帝京大学講師)

春日正男(宇都宮市創造都市研究センター運営委員会委員長，学校法人船田教育会顧問)

乾泰典(宇都宮市創造都市研究センター運営委員会委員，帝京大学宇都宮キャンパス　地域連携担当プロジェクトリーダー)

鈴木智(脚本家・監督　「誰も守ってくれない」〈モントリオール国際映画祭・最優秀脚本賞〉等)

坂内雄二(RICE株式会社 代表取締役，グラフィックデザイナー)

岩井俊宗(NPO法人とちぎユースサポーターズネットワーク代表理事)

浅野裕子（一般社団法人 スリーアクト「3ACT」代表理事)

野澤幸雄(前宇都宮市総合政策部政策審議室市政研究センター)

鈴木健一(宇都宮市経済部産業政策課)

田邉義博(宇都宮まちづくり推進機構事務局長)

堀江則行(トヨタウッドユーホーム株式会社経営企画部長，作新学院大学客員教授)

松本泰宏(宇都宮商工会議所地域振興部次長)

西山弘泰(前宇都宮市創造都市研究センター運営委員会委員，駒澤大学准教授)

村田明日香(作新学院大学准教授)

斉藤麗(作新学院大学准教授)

丸山純一(文星芸術大学副学長・美術学部教授)

平本隆(帝京大学理工学部　航空宇宙工学科教授)

渡邊弘(宇都宮市創造都市研究センター 運営協議会副会長，作新学院大学学長・同大学女子短期大学部学長)

産学官民連携による創造都市への挑戦

2023年3月31日　第1刷発行

編　　者 ● 宇都宮市創造都市研究センター
　　　　　（春日正男・渡邊瑛季）
　　　　　〒320-0802　栃木県宇都宮市江野町10-4
　　　　　（宇都宮市まちづくり交流センター イエローフィッシュ内）

発行・制作 ● 有限会社 随 想 舎
　　　　　〒320-0033　栃木県宇都宮市本町10-3 TSビル
　　　　　TEL 028-616-6605　FAX 028-616-6607
　　　　　振替 00360-0-36984
　　　　　URL https://www.zuisousha.co.jp/

印　　刷 ● 晃南印刷株式会社

装丁 ● 栄舞工房
定価はカバーに表示してあります／乱丁・落丁はお取りかえいたします
© 2023宇都宮市創造都市研究センター Printed in Japan
ISBN978-4-88748-424-5 C0033